LA VIE QUOTIDIENNE DES TEMPLIERS
AU XIIIᵉ SIÈCLE

Né en 1920, historien, romancier, essayiste, auteur de *La Vie quotidienne en Vendée pendant la Révolution,* G. Bordonove compose une œuvre harmonieuse et vaste qui compte désormais plus de quarante volumes et que neuf prix littéraires ont jalonnée. Cette œuvre restitue les moments les plus marquants de l'histoire humaine, depuis l'Antiquité jusqu'à notre époque. Si G. Bordonove devait lui donner un titre général, ce serait : *Les Chemins des Hommes.*

GEORGES BORDONOVE

La Vie quotidienne des Templiers au XIIIe siècle

HACHETTE

Pour l'historien, le décalage est tel entre les fantaisies auxquelles se sont livrés sans retenue aucune les écrivains d'histoire de tous bords, et d'autre part les documents authentiques, les matériaux certains, que gardent en abondance nos archives et nos bibliothèques, qu'on aurait peine à y croire si cette opposition ne se manifestait de la façon la plus visible, la plus évidente.

Régine PERNOUD, *Les Templiers.*

Après tout, ce qui intéresse, avant même leur chute, c'est l'aventure que les templiers ont menée pendant deux siècles sur la terre et dans les âmes, c'est le type audacieux de moines-chevaliers qu'ils ont dressé sur le monde brutal et cruel d'alors. Tête nue, tondus et barbus, leurs manteaux blancs à croix rouge flottant sur leurs épaules comme des ailes d'anges, sautillant sur leurs petits chevaux arabes, de combat en combat, ils meurent, les uns après les autres, une épée plantée dans le cœur, et leur mission n'avait qu'un but dont tout intérêt humain était banni : leur salut éternel et l'honneur de la chrétienté.

Jules ROY, *Beau Sang.*

CHAPITRE PREMIER

DESTIN DU TEMPLE

L'ORDRE du Temple atteignit le zénith de sa puissance et
de son rayonnement au milieu du XIIIᵉ siècle. C'est donc
la période choisie pour en décrire, non point
« l'écorce » selon la belle expression des dignitaires et
commandeurs accueillant les postulants, mais l'intérieur à ses différents niveaux et dans ses diverses structures.

Cependant, cette description serait incomplète, voire
incompréhensible, si l'on ne relatait en premier lieu les
circonstances particulières de la fondation du Temple
et de sa rapide croissance, jusqu'au moment où,
devenu riche et célèbre, consacrant la plus grande partie de ses immenses revenus à la défense de la Terre
sainte, il se substitua insensiblement aux autorités
laïques : le roi de Jérusalem et ses barons. Alors que
l'esprit de Croisade périclitait, les templiers — il est
vrai de part avec les hospitaliers et les teutoniques —
maintenaient la présence chrétienne en Orient, mais au
prix de quels sacrifices ! Bien que, désormais, le réalisme politique supplantât la spiritualité, ils persistè-
rent dans leur irréalisme superbe, mettant au-dessus
de leur intérêt, de leur sécurité, la reconquête de Jérusalem, la possession du Saint-Sépulcre. Devenus ana-
chroniques et sans doute le sachant, mais fous d'orgueil de se sentir les derniers, ils se voulurent jusqu'au

bout chevaliers de Dieu, honneur de l'Eglise et de la Chrétienté, tirant leur poignant courage d'une situation désastreuse, sinon désespérée.

L'admiration fervente, la vénération même, qu'on leur portait, se changèrent en haine, lorsqu'ils furent enfin chassés de Terre sainte. Autour de leurs commanderies s'élevèrent les voix de l'envie, attisées par la cupidité. Ils refusèrent d'entendre ces rumeurs, ou les dédaignèrent. Demeurés tels qu'à leurs premiers jours, pouvaient-ils d'ailleurs concevoir que le monde qui les avait suscités renonçait au sublime, ne se ressemblait plus, et que le vieil idéal chevaleresque se périmait, devenant sa propre caricature ?

Leur puissance, leur fortune, ne laissaient pas d'inquiéter les gouvernants. A quoi les emploieraient-ils, puisque Jérusalem était perdue sans retour ? Cet échec de l'Occident, il fallait aussi lui trouver un responsable. L'astuce de Philippe le Bel et de ses comparses fut de l'imputer aux défaillances, aux crimes et aux vices supposés des templiers. Les complicités ne leur manquèrent pas : des prélats secrètement hostiles à l'ordre et, depuis longtemps, des clercs impatients de recouvrer les dîmes qu'ils avaient dû sacrifier, un pape incertain, devant son élection aux intrigues du même roi. Philippe le Bel eut peut-être une sorte de grandeur, mais faux-monnayeur, oppresseur des Juifs par nécessité, il incarnait très exactement l'anticroisade. Inversement, le Temple représentait tout ce qu'il exécrait : l'indépendance, le désintéressement, l'aventure héroïque, la primauté de la foi. Il était dans la logique des choses qu'il en fît le bouc émissaire. Le procès qu'il agença de main de maître, les aveux que ses bourreaux arrachèrent aux prisonniers, ceux qui leur furent extorqués par de fallacieuses promesses alternant avec les menaces et le spectacle des tourments infligés à leurs frères, ont terni à tout jamais la gloire des templiers et faussé leur histoire. Depuis lors, mais principalement à notre époque en dépit de son goût pour la vérité, la plupart des auteurs n'ont cessé de refaire leur procès. Ils ne se sont point demandé si les templiers étaient innocents, mais s'ils étaient coupables et à quel degré ! Négligeant l'œuvre templière, ils ont inlassablement repris à leur compte les chefs d'accusation inventés, mis au point, par Philippe le Bel et ses légistes. Ils n'ont abouti de ce fait qu'à aggraver les soupçons que jeta sur l'ordre une procédure inique et à épaissir le système dont il s'enveloppait.

Point n'est besoin pourtant de recourir à l'ésotérisme pour justifier la discrétion des chapitres, au surplus commune à toutes les maisons religieuses, ni à l'alchimie pour découvrir la source des richesses templières ! Les cartulaires ne manquent pas, retraçant fidèlement, au fil des années, les activités de l'ordre : chartes de donations, d'achats, d'échanges, contrats de prêts, registres bancaires, transactions et arbitrages mettant fin aux inévitables litiges inhérents à la gestion de domaines épars, à la perception des droits les plus divers.

La Règle, dans ses versions successives amplifiant et précisant les dispositions initiales nécessairement un peu étroites, expose, sans la moindre ambiguïté, la vie des templiers en temps de paix comme en temps de guerre, dans les commanderies d'Orient comme en celles d'Occident, l'élection du maître comme la prise d'habit d'un simple chevalier ou celle d'un frère sergent, les obligations religieuses comme la discipline de la maison, dont on discerne qu'elle resta inflexible jusqu'à la tragédie finale.

Les inventaires dressés par les syndics de Philippe le Bel, pseudo-gardiens des biens du Temple en attendant leur dévolution par le pape, ou plutôt les liquidateurs de cette richesse au profit du trésor royal, ne sont pas moins instructifs. Ils mentionnent en effet le cheptel des commanderies, les réserves de grains et de fourrages, les provisions, les barriques de bière et de vin, le matériel agricole, les ustensiles de cuisine, le salaire des domestiques et les tâches assumées par chacun de ceux-ci, et même le contenu des coffres et les ornements des chapelles.

Il n'est pas enfin jusqu'aux chroniques du temps, en vers comme en prose, en latin comme en vieux français, qui ne permettent de recouper les faits essentiels et, par conséquent, de se faire une idée de la réputation dont jouissaient les templiers, mais aussi de détecter, ici et là, les prémices des rivalités futures et les germes des calomnies qui finirent par les perdre.

La Règle du Temple, constituant cependant la base de cette étude, appelle quelque préliminaire. Elle se compose de quatre parties chronologiquement distinctes : *La Règle primitive* approuvée par le Concile de Troyes en 1128 et sa traduction française située vers 1140 et comportant quelques variantes; les *Retraits* qui forment un recueil des usages et coutumes de l'ordre (vers 1165); les *Statuts hiérarchiques* qui traitent principalement des cérémonies (1230-1240); enfin les *Egards* consacrés à la discipline (fautes, échelles de peines, exemples jurisprudentiels) et que l'on date généralement de 1257-1267. Ainsi qu'il est indiqué plus haut, les *Retraits,* les *Statuts* et les *Egards* reprennent les éléments de la *Règle primitive.* Ils les développent, les commentent, les modifient même dans un souci évident de les adapter aux circonstances en vue d'une efficacité meilleure. Ils n'en changent point l'esprit, sauf de rares exceptions; ils les actualisent ! Cet ensemble forme un véritable code, mais de droit coutumier, c'est-à-dire non figé dans des formules abstraites, mais au contraire en évolution permanente, intelligent et vivant. Car ces hommes qui apparaissent un peu comme les Don Quichotte du Christ par la démesure de leurs rêves, gardaient l'esprit pratique, savaient être en même temps des organisateurs hors de pair. Leur grandeur tient sans doute à cette dualité quasi institutionnelle : moines mais soldats, héros mais comptables, martyrs mais colons, etc. Dualité qu'exprime peut-être leur sceau le plus connu qui montre deux chevaliers, heaumes en têtes, lances baissées, sur le même cheval : le spirituel et le temporel, le gagne-petit et le fou de Dieu, chevauchant la même monture, menant au fond le même combat, mais avec des moyens différents, poursuivant le même dessein et sous la même devise : *Non nobis, Domine, non nobis, sed tuo nomini da gloriam.* Non pour nous, Seigneur, non pour nous, mais pour ton nom, donne la gloire...

CHAPITRE II

HUGUES DE PAYNS

La première croisade, prêchée par Urbain II en 1095, souleva une adhésion massive et enthousiaste. Ce succès s'explique différemment selon le clivage social considéré. Pour le menu peuple, épris de merveilleux, animé par la foi du charbonnier, prendre la croix c'était, en libérant les Lieux saints, gagner le paradis par la route la plus sûre. C'était aussi pour quelques-uns, il faut le dire, échapper en même temps à d'éventuelles poursuites judiciaires ou se soustraire à des créanciers. C'était encore pour certains autres échapper aux contraintes d'une société aux structures dorénavant trop rigides pour que, né dans une classe, on pût raisonnablement espérer accéder à la classe supérieure, à moins de se faire homme d'Eglise. C'était enfin, car tout se mêle et parfois se contredit en la créature, céder à l'attrait de la nouveauté, partir vers l'inconnu, découvrir des villes nouvelles, des visages nouveaux. Les hommes de cette époque, malgré leur apparente naïveté, n'avaient certes pas un psychisme moins diversifié ni moins riche que le nôtre; ce serait plutôt le contraire! Pour les hobereaux campagnards et les bourgeois citadins − si l'on veut, la classe moyenne −, les perspectives étaient encore meilleures. Si l'Eglise promettait absolument la rémission des péchés, cette fine connaisseuse d'hommes n'interdisait pas en la circonstance d'acquérir des honneurs terrestres, des biens matériels récupérés évidemment sur les infidèles. Pour le petit noble, la croisade offrait donc la possibilité de s'emparer de terres et de places fortes, de se tailler quelque bon fief, bref de se hausser dans la hiérarchie féodale. Quant aux princes, entendez les grands feudataires, les maîtres des provinces, aux prérogatives quasi royales dans l'étendue de leur territoire, leur ambition se proportionnait à leur importance : d'où les rivalités qui se firent jour après les premières victoires, la hâte qu'ils montrèrent à s'emparer pour leur compte personnel de villes fortes, de riches terroirs aussitôt érigés en Etats quasi indépendants : Edesse, Antioche, Tripoli.

Pour les têtes pensantes, stratèges et politiciens, chefs d'Etat, l'objectif essentiel était de maîtriser l'Islam. Refoulés, non sans peine, du territoire français, les Musulmans tenaient encore la moitié de la péninsule ibérique et, dans cette région, la guerre était quasi permanente. A l'est de l'Europe, leur pression s'accentuait sur l'Empire byzantin en voie de désagrégation. Planter un fer de lance dans le flanc de l'Islam, c'était donc à la fois soulager Byzance et empêcher que les Musulmans n'envahissent tôt ou tard l'Europe, en tournant l'Italie, c'est-à-dire Rome, par le nord. D'où les encouragements réitérés des papes aux chevaliers et mercenaires à louer leurs services au basileus. Mais, à Clermont, Urbain II avait été encore plus net : « Il est urgent, en effet, avait-il dit, que vous vous hâtiez de marcher au secours de vos frères qui habitent en Orient et ont grand besoin de l'aide que vous leur avez tant de fois promise hautement. Les Turcs et les Arabes se sont précipités sur eux, ainsi que plusieurs d'entre vous l'ont certainement entendu raconter, et ont envahi les frontières de Romanie, jusqu'à cet endroit de la Méditerranée qu'on appelle le Bras de Saint-Georges, étendant de plus en plus leurs conquêtes sur les terres des Chrétiens... » (Foulcher de Chartres, *Histoire des Croisades*). Il s'agissait donc, au point de départ et à ce niveau, de reconquérir les terres appartenant naguère à l'empereur de Byzance et conquises par les Musulmans, dont bien entendu les Lieux saints. Mais il va sans dire que la masse des croisés ignorait ce qu'était l'empereur de Byzance et n'avait qu'un mobile : reconquérir Jérusalem, prier sur le Saint-Sépulcre, refaire pieds nus le chemin du Golgotha ! Car enfin toutes ces bonnes raisons ne doivent pas faire oublier que le ressort essentiel de la croisade restait la foi. Une foi tellement présente et vivante et vécue qu'en un moment, à l'appel pathétique du Souverain Pontife, elle convertit de paisibles paroissiens en soldats du Christ, l'humble pèlerin de paix en pèlerin de guerre. Embrasant les cœurs, elle se fit, tout à coup, dynamique et militante, entraînant sur les chemins des foules immenses. Pour être juste, il faut ajouter que cet embrasement des cœurs fut possible, revêtit ce caractère de spontanéité, parce que l'idée de croisade était déjà dans l'air. L'Europe, émergeant enfin des siècles d'anarchie, prenait conscience de sa force et, comme il est de règle en pareil cas, éprouvait un besoin d'expansion. A peine de s'entre-tuer pour se disputer de minces territoires, il fallait étendre les frontières, porter au-dehors tant de forces inemployées ! Les textes montrent que l'on avait aussi envisagé cet aspect de la question. En envoyant la petite noblesse batailleuse et les aventuriers de tout poil combattre en Terre sainte, on épurait la société; on leur offrait en plus l'occasion de se rédimer et même de gagner le paradis : opération doublement profitable.

Il existait une autre variété de croisés, assez particulière pour qu'on lui accorde une mention spéciale : les armateurs et les gros négociants italiens, de Venise, de Gênes ou de Pise, à l'affût de tout gain, dénués de scrupules et voyant dans la croisade l'occasion inespérée de s'ouvrir les marchés d'Orient, d'implanter de fructueux comptoirs, de s'assurer enfin des ports. Ces croisés-là rendront des services considérables, mais par intérêt, et dans la période décadente du royaume de Jérusalem, ils n'hésiteront pas à provoquer des guerres intestines pour défendre leurs positions commerciales.

Il est un autre point sur lequel il convient d'insister : l'envers de la croisade, je veux dire son aspect humain. La décision prise, le grand moment d'euphorie collective passé, on se retrouvait en face de soi-même et des siens, confronté avec des problèmes précis et angoissants, en dépit des garanties proclamées par l'Eglise. Il s'agissait en effet de s'équiper, de s'armer, de réunir de l'argent pour subsister pendant le voyage. Il fallait arranger ses affaires, s'organiser en prévision d'une longue absence et d'un hypothétique retour. Il fallait aussi trouver en soi assez de courage pour tenir une promesse donnée peut-être un peu légèrement, peut-être même regrettée, pour renoncer aux habitudes et même aux sujétions d'une existence médiocre mais que magnifiait l'approche du départ, et, surtout, pour se séparer des êtres chers. Le moine Foulcher de Chartres, futur chapelain du roi de Jérusalem, fut témoin de ces départs. Il en perçut le drame avec intensité. Son émotion sincère transparaît dans ces lignes :

« O combien les cœurs qui s'unissaient firent éclater de douleur, exhalèrent de soupirs, versèrent de pleurs et poussèrent de gémissements... Dans leurs derniers adieux, le mari annonçait à sa femme l'époque précise de son retour, lui assurait que, s'il vivait, il reverrait son pays et elle au bout de trois années, la recommandait au Très-Haut, lui donnait un tendre baiser, et lui promettait de revenir; mais celle-ci, qui craignait de ne plus le revoir, accablée par la douleur, ne pouvait se soutenir, tombait presque sans vie étendue sur la terre, et pleurait sur son ami qu'elle perdait vivant, comme s'il était déjà mort; lui alors, tel qu'un homme qui n'eût eu aucun sentiment de pitié, quoique la pitié remplît son cœur, semblait, tout ému qu'il était dans le fond de son cœur, ne se laisser toucher par les larmes ni de son épouse, ni de ses enfants, ni de ses amis quels qu'ils fussent, mais montrant une âme ferme et dure il partait. »

Ceux qui voudraient achever de comprendre, en profondeur, la mentalité réelle des croisés, savoir de quelle pâte humaine ils étaient communément pétris et quels étaient, sous l'exaltation, les sacrifices éclatants et les faits d'armes, leur drame secret, qu'ils regardent avec attention les gisants enlacés du vieil Hugues de Vaudémont et de sa femme Adeline, conservés à l'église des Cordeliers de Nancy[1]. Plus que le témoignage du moine Foulcher, cette sculpture nous bouleverse par sa simplicité, son authenticité. Hugues s'en était allé en croisade en tenue de guerre, avec ses forts chevaux et ses écuyers. Lui aussi, il avait promis à son épouse Adeline de revenir au bout de trois ans. Un à un, tous ses compagnons rentrèrent au pays, n'apportant à son sujet aucune nouvelle. On le crut mort. Mais, au bout de quatorze ans, il réapparut, non plus en seigneur de guerre, mais en pèlerin de paix, vivant d'aumônes, marchant à pied, devenu, au prix de quelles souffrances, au terme de quelles méditations intérieures, un non-violent, et n'espérant plus que la grâce de retrouver sa terre natale et sa femme! Quand l'un et l'autre furent morts, un artisan du village tailla leur effigie double dans la fruste pierre du pays. Lui, porte sa robe effrangée et trouée de pèlerin, un méchant bonnet à oreillettes, des souliers usés par la longue marche, la bourse et le bâton. Elle, une longue tunique de moniale, et des tresses juvéniles — détail touchant — tombent de sa coiffe empesée. Ils se tiennent serrés l'un contre l'au-

1. On peut en voir un moulage au musée des Monuments français, Paris, Palais de Chaillot.

tre, s'étreignent dans la mort comme ils l'avaient fait pendant leur vie, mains sur les épaules, mains sur le torse. L'artisan génial n'a fait en somme qu'éterniser l'instant précis de leurs retrouvailles. Se reconnaissant, au bout du voyage, retrouvant intacte la grande tendresse qu'ils n'avaient cessé d'avoir l'un pour l'autre, malgré l'absence et les tribulations, ou à cause de celles-ci, ils s'étaient comme ressoudés en une seule chair, ne pouvant plus s'éloigner, se déprendre. Et c'est bien cela que suggère le rude ciseau. L'âme forte et tendre des croisés affleure et palpite dans le grain de cette pierre. Il n'est guère de messages plus significatifs, plus violemment fraternels, parmi ceux que le Moyen Age nous a laissés.

La conquête de Jérusalem

Comme il était à prévoir, la croisade populaire, partie la première, immense cohorte piétonne conduite par Pierre l'Ermite et le chevalier Gautier sans Avoir, se fit massacrer. L'année suivante (1097), la croisade militaire s'ébranla, empruntant quatre itinéraires selon les points de rassemblement : Godefroi de Bouillon passa par la Hongrie et la Bulgarie; Robert de Flandres, par les Alpes et l'Italie; Raymond de Saint-Gilles-Toulouse par l'Italie, la Dalmatie, l'Albanie et Salonique; Bohémond de Tarente et son neveu Tancrède vinrent par la mer. La jonction de ces quatre armées ne fut pas sans inquiéter l'empereur byzantin, Alexis Comnène, et d'autant que la croisade populaire laissait un souvenir pénible. Les démêlés des barons francs avec le basileus suscitèrent, d'entrée de jeu, un climat de défiance réciproque, et qui devait être lourd de conséquences. Quoi qu'il en soit, les croisés s'ouvrirent un passage jusqu'à Antioche qui capitula en 1098. Ils forcèrent ensuite la vallée de l'Oronte, suivirent la côte de Tripoli à Jaffa et prirent d'assaut Jérusalem le

15 juillet 1099. Les Croisés élurent ensuite Godefroi de Bouillon roi de Jérusalem, mais celui-ci refusa de ceindre la couronne d'épines; il n'accepta que l'humble titre d'avoué du Saint-Sépulcre. Après quoi, besogne faite, les croisés repartirent en masse pour l'Europe. Ni les exhortations des prêtres, ni les promesses de fiefs fastueux ne purent les retenir. L'avoué du Saint-Sépulcre resta dans son avouerie avec trois cents chevaliers et quelques milliers de piétons, une poignée de volontaires, en face des Musulmans, heureusement divisés et n'ayant point encore compris que les Francs leur faisaient une guerre sainte. A la tête de cette petite troupe, Godefroi courut d'une bataille à l'autre, annexa la Galilée et la Judée, créa la princée de Tibériade qu'il confia à Tancrède de Tarente. L'oncle de ce dernier s'était établi dans la princée d'Antioche et Baudoin[1] de Boulogne, frère de l'avoué, tenait, plus au nord, le comté d'Edesse. Un an et trois jours, après son entrée dans la Ville Sainte, Godefroy mourut, épuisé par des efforts réellement surhumains. Baudoin de Boulogne abandonna donc son comté d'Edesse à son cousin Baudoin du Bourg, et se dirigea vers Jérusalem. Il y arriva à la fin de l'année, non sans courir les plus extrêmes dangers. Son couronnement eut lieu à Noël.

Pendant les dix-huit ans de son règne, Baudoin Ier n'arrêta pas de guerroyer. Mettant à profit la rivalité des Fatimides du Caire et des Seldjoukides de Damas, il prit Arsouf, Césarée, Saint-Jean-d'Acre, Beyrouth et Sidon, occupa la Transjordanie où il érigea le château de Montréal et poussa vers la mer Rouge, coupant ainsi la grande route des caravanes vers La Mecque. Dans le même temps, il avait repoussé quatre contre-croisades turques. Au nord du royaume, le comte de Saint-Gilles s'emparait de Tortose et de Byblos, puis de Tripoli.

Mais la période conquérante va s'achever. Jusqu'à la mort de Baudoin Ier, les Croisés ont volé de victoire en

1. L'orthographe adoptée est celle des chroniques de l'époque.

victoire, frappant l'ennemi de stupeur. Exaltés par la foi, sûrs de mener une juste guerre, méprisant la mort, ils criaient au moment du combat, ainsi que le relate Foulcher de Chartres : « Le Christ vit, le Christ règne, le Christ seul commande ! » Baudoin II (qui s'était démis de son comté d'Edesse au profit de Jocelin de Courtenay) ne put que maintenir intact le petit royaume, non sans mal, en dépit d'un réel talent et d'un courage égal à celui de ses prédécesseurs. Il sauva d'extrême justesse la princée d'Antioche, mais ne put assiéger Damas faute de moyens. Car les Arabes se sont ressaisis. Dans peu d'années, ils vont eux aussi faire la guerre sainte. Le manque d'effectifs ne cessera désormais de paralyser les initiatives franques, les plaçant dans une situation tragique en cas de défaite et les empêchant d'exploiter à fond leurs victoires. Toute poursuite de l'adversaire vaincu, loin de leurs bases, risquera de leur être, ou leur sera, fatale. Baudoin II analysait parfaitement la situation, quand il s'appliquait d'une part à étoffer l'implantation franque, d'autre part à dissocier les Musulmans en faisant alterner la guerre et la diplomatie. Ses efforts n'aboutirent cependant qu'à consolider les frontières du petit royaume, à stabiliser la fragile conquête. Mais l'insécurité était telle qu'il fut lui-même capturé au cours d'une partie de chasse. On imagine les risques courus par les petites gens, par les pèlerins se rendant à Jérusalem d'un port quelconque ! La campagne, les abords des routes étaient infestés de voleurs, sinon d'assassins.

Quelques chevaliers agréables à Dieu...

C'est ici, précisément, qu'intervient Hugues de Payns, futur premier maître du Temple, en ces circonstances que naît l'ordre fameux. Débuts obscurs, quasi anonymes, stupéfiants d'humilité et qui, certes, ne laissaient guère prévoir que le Temple deviendrait une puissance internationale. Le bon évêque de Saint-Jean-d'Acre, Jacques de Vitry, les raconte en ce style « d'enluminure » :

« A la suite de ces événements, et tandis que de toutes les parties du monde, riches et pauvres, jeunes gens et jeunes filles, vieillards et enfants accouraient à Jérusalem pour visiter les Lieux saints, des brigands et des ravisseurs infestaient les routes publiques, tendaient des embûches aux pèlerins qui s'avançaient sans méfiance, en dépouillaient un grand nombre, et en massacraient aussi quelques-uns. Des chevaliers agréables et dévoués à Dieu, brûlant de charité, renonçant au monde, et se consacrant au service du Christ, s'astreignirent par une profession de foi et des vœux solennels, prêtés entre les mains du patriarche de Jérusalem, à défendre les pèlerins contre ces brigands et ces hommes de sang, à protéger les routes publiques, à combattre pour le Souverain Roi, en vivant, comme des chanoines réguliers, dans l'obéissance, dans la chasteté, et sans propriété. Les principaux d'entre eux furent deux hommes vénérables et amis de Dieu, Hugues de Payns et Godefroi de Saint-Omer. Dans le principe, ils ne furent que neuf à prendre une aussi sainte résolution. Portant les vêtements que les fidèles leur donnaient à titre d'aumônes, pendant neuf ans ils servirent sous l'habit séculier. Le roi, les chevaliers et le seigneur patriarche, remplis de compassion pour ces nobles hommes qui avaient tout abandonné pour le Christ, les soutinrent de leurs propres ressources, et leur conférèrent dans la suite, pour le salut de leurs âmes, quelques bénéfices et quelques propriétés. Comme ils n'avaient pas encore d'église qui leur appartînt ni de résidence fixe, le seigneur roi leur accorda pour un temps une petite habitation dans une partie de son palais, auprès du temple du Seigneur. L'abbé et les chanoines du même temple leur donnèrent aussi, pour les besoins de leur service, la place qu'ils possédaient à côté du palais du roi. Et comme ils eurent dès lors leur demeure auprès du temple du Seigneur, ils furent appelés dans la suite frères chevaliers du Temple... »

Dans sa chronique, Guillaume de Tyr est un peu moins laudatif. Il prétend que, lors de leur profession de foi, il leur fut « enjoint, par le seigneur patriarche et par les autres évêques, de travailler de toutes leurs forces, pour la rémission de leurs péchés, à protéger les voies et les chemins ». Il prétend aussi qu'au bout de neuf ans d'existence les pieux gendarmes de Palestine n'étaient encore que neuf. Il va sans dire que Guillaume de Tyr détestait les templiers et s'efforçait de minimiser leur rôle. Jacques de Vitry, quand il écrivit sa propre relation des croisades, lui a fait de larges emprunts, mais, connaissant intimement les templiers, les ayant vus à l'œuvre dans son évêché d'Acre, il ne partageait en rien son jugement à leur égard. Il a tout au contraire restitué le climat quasi légendaire entourant les débuts du Temple, et voulu nous faire partager son émerveillement. Ce qui est indubitable, c'est l'extrême modestie des débuts de l'ordre. Alors que tant de croisés ne songeaient plus qu'à rentrer chez eux, laissant Jérusalem et la Terre sainte à la merci des infidèles, que les autres cherchaient à s'établir en quelque seigneurie, ou se fortifiaient dans leurs châteaux, un très petit groupe de volontaires décida de rester, à l'initiative d'Hugues de Payns. Ces pieux chevaliers ne demandaient rien que la permission de convoyer les pèlerins, de surveiller les routes dans leurs plus mauvais passages et, l'occasion s'offrant, de prêter main forte au roi de Jérusalem. Quand ils ne se battaient pas ou n'étaient pas de garde sur le chemin de Caïphe à Césarée, secteur détestable, ils suivaient les offices. Déjà, c'étaient des moines-soldats, mais sans aucun signe distinctif, sans biens, sans hiérarchie ni prérogatives d'aucune sorte. Et, déjà, ils étaient en marge : de la société laïque en raison de leur profession de foi, de l'Eglise malgré cette profession, parce qu'ils allaient en habits de guerre et versaient le sang! Et, déjà, ce dualisme inquiétait. Mais les âmes de l'époque étaient de telle texture qu'ils attiraient à eux par leur exemple et leur abnégation. Il y avait plus. Chevaliers de Dieu à perpétuité, ou, si l'on préfère, croisés permanents, ils incarnaient à la perfection l'idéal chevaleresque dans ce qu'il avait de plus fin, de plus intransigeant. L'antique précepte de chevalerie recommandait de ne point frayer avec les traîtres, de protéger les faibles, d'observer les jeûnes et les abstinences, d'entendre la messe tous les jours, d'éviter l'orgueil, de rester chaste dans son corps et son esprit, et de verser son sang pour défendre l'Eglise. Cet impossible pari d'essayer de concilier l'honneur et la foi, les compagnons d'Hugues de Payns voulurent le tenir. L'Eglise, dont l'influence sur l'évolution des mœurs restait déterminante et qui s'efforçait de canaliser et de moraliser les instincts guerriers de la caste nobiliaire et de mettre fin aux conflits privés, ne pouvaient qu'encourager cette tentative. Les templiers se trouvaient réaliser très exactement le modèle qu'elle n'avait cessé de proposer. Quant à ceux qui gardaient quelque générosité dans le cœur, et il y en avait alors beaucoup, ils percevaient fort bien que la petite troupe d'Hugues de Payns constituait d'ores et déjà l'élite inimitable. Vers elle convergeaient les désirs de perfection qui, jusque-là, paraissaient inaccessibles, les aspirations les plus secrètes, les rêveries nées des vieux poèmes héroïques. Une nouvelle chevalerie venait de naître, comme le dira plus tard saint Bernard, mais dont les membres ne voulaient retenir pour eux-mêmes ni biens, ni gloire. C'était là, et nulle part ailleurs, l'accomplissement, l'aboutissement, la plus haute crête de toute chevalerie. Pour les hommes de guerre et les rapaces féodaux, se perdre dans un ordre et se sauver par lui, ce devint, si peu qu'ils vissent clair en eux-mêmes et se repentissent de leurs fautes, l'unique planche de salut, la seule promesse valant d'être tenue, le seul avancement, la seule grandeur que l'on pût convoiter, et la fleur de toute prière. Et cela suffit à expliquer leur succès immédiat, car il tombe sous le sens que le chroniqueur Guillaume de Tyr émet, par malveillance, une contre-vérité, quand il affirme qu'après neuf ans d'activités, les compagnons d'Hugues de Payns n'étaient encore que neuf. Sinon, l'appui que leur donnèrent simultanément le patriarche de Jérusalem et ses chanoines, le roi de Jérusalem et ses barons, n'eût pas été aussi immédiat et chaleureux.

Mais quel était l'homme étrange qui avait eu l'idée de cette chevalerie monastique ? On le connaît à peine. Il n'a guère laissé d'autres traces que d'avoir été l'inventeur des templiers et leur premier maître. On sait toutefois que c'était un chevalier champenois de quelque importance, puisqu'il figure en qualité de témoin dans deux chartes d'Hugues de Troyes, datées de 1100. Certains auteurs suggérèrent même qu'il était issu de la maison de Champagne. Le village de Payns, dont il portait le nom, se trouve à douze kilomètres de Troyes, capitale de la province et résidence habituelle des comtes. Même absence de précisions quant à ses premiers compagnons, quant à son lieutenant, Godefroi de Saint-Omer, dont on sait seulement qu'il était un chevalier flamand. Mais on sait aussi que, dès leurs débuts, ils recrutaient des chevaliers-hôtes, servant à terme : en 1120, Foulque d'Angers figurait parmi les « confrères » du Temple. On sait encore qu'en 1126 Hugues de Champagne se fit templier, après avoir résilié sa charge et donné son comté à son neveu Thibaud, déjà comte de Brie. Déception de saint Bernard regrettant de ne pas accueillir Hugues au monastère de Clairvaux ; il lui écrivit : « Si pour le service de Dieu tu t'es fait de comte, chevalier, et de riche, pauvre, nous te félicitons sur ton avancement comme il est juste, et nous glorifions Dieu en toi, sachant que c'est une mutation à la main droite du Seigneur. Pour le reste, j'avoue que nous ne supportons pas avec patience d'être privé de ta joyeuse présence par je ne sais quelle justice de Dieu... Pouvons-nous oublier l'ancienne amitié et les bénéfices que tu apportas si largement à notre maison ? » Adhésion précieuse pour les templiers, en raison même des bonnes relations d'Hugues de Champagne et de saint Bernard, et de ses largesses anciennes qui avaient permis précisément la fondation du monastère de Clairvaux. Or saint Bernard, dont l'autorité était immense dans les milieux ecclésiastiques et cultivés du temps, jouera un rôle capital, déterminant, en faveur de l'ordre naissant. Peut-être, sans doute, n'aurait-il pas appuyé aussi vite, aussi complètement, ce mouvement insolite, « révolutionnaire » serait-on tenté d'écrire, de sa puissante autorité, si les relations d'amitié, les souvenirs communs, les parentés même n'avaient facilité les approches et servi de répondants.

En un premier temps donc, temps très court, le roi Baudoin II hébergea les moines-soldats dans une salle de son palais, c'est-à-dire de la mosquée El-Aqsa, sur l'esplanade pavée de ce qu'on appelait alors le Temple de Salomon. En 1120, Baudoin II transféra la résidence royale dans la Tour de David, plus facile à défendre et à fortifier. Il laissa aux templiers la libre disposition de son ex-palais, ce qui prouve jusqu'à l'évidence qu'ils étaient plus de neuf, un an après leur création. Ce fut là que s'installa la maison chevetaine de l'ordre. D'où, de *milites Christi* (chevaliers, ou soldats, du Christ), ils prirent le nom de chevaliers du Temple, ou templiers. D'où l'un de leurs sceaux représente le *Templum Salomonis*. Baudoin II, toujours à court d'effectifs, comprit immédiatement le parti que lui offrait la confrérie naissante : rien de moins qu'une petite armée permanente, un corps d'élite susceptible d'intervenir au premier signal. Selon le système féodal, il ne disposait pas d'une armée, au sens moderne du mot, mais du concours plus ou moins rapide et efficace de ses barons et de leurs hommes. Dans le cas d'une attaque brusquée et massive de la part de l'adversaire, il risquait une catastrophe, une submersion immédiate et totale par suite de la dispersion des forces et du retard apporté à leur « mobilisation ». Il appuya donc de tout son pouvoir, de toute son intelligence qui était vive et pénétrante, l'initiative d'Hugues de Payns. Sans doute les templiers poursuivraient-ils leur mission première de gendarmerie religieuse, continueraient-ils de protéger les pèlerins entre Caïphe et Césarée, mais il était primordial qu'ils fournissent aussi un corps permanent dont le roi de Jérusalem disposerait pour la défense de la Terre sainte. Encore devait-on leur en procurer les moyens. Or, les templiers n'existaient pas, institutionnellement; ils n'avaient ni vêtements particuliers, ni règlement qui leur fût propre. L'Eglise ne les avait pas encore reconnus. Sans doute aussi leur état de moines-soldats éveillait-il les soupçons de quelques ecclésiastiques, appelait-il les premières critiques, voire les railleries des clercs. Si l'on voulait que le Temple prospérât et que son recrutement ne restât pas seulement local, il fallait y intéresser l'Occident, et d'abord obtenir l'approbation pontificale.

En automne 1127, Baudoin II envoya donc Hugues de Payns en Europe, avec quelques-uns de ses compagnons et des lettres d'introduction. Force nous est, une fois de plus, de prendre la légende en défaut. Car, si Hugues de Payns avait été conforme au modèle qu'elle propose, un pauvre chevalier confit dans l'humilité, un peu simplet, Baudoin II lui aurait-il confié cette mission diplomatique? Car il ne s'agissait de rien de moins que de convaincre un pape et les prélats qui l'entouraient. La façon dont Hugues de Payns s'en acquitta, les exposés qu'il fut amené à faire, l'autorité qu'il sut prendre, attestent au contraire la qualité de son intelligence, la finesse d'un esprit supérieur, outre une volonté à toute épreuve. C'était un preux sans doute, et il l'avait prouvé, mais aussi un organisateur, un penseur en action. Le pape Honorius II l'écouta avec bienveillance et même, dit-on, avec déférence. Cependant, selon la méthode romaine, il évita de prendre parti avant d'avoir consulté les ordres monastiques qui, somme toute, étaient les principaux intéressés, puisque les templiers se voulaient aussi conventuels. Il faut admettre que leur formule posait un problème épineux du point de vue canonique. Elle n'avait de précédents, en nulle période, en aucune région; elle était entièrement nouvelle et, de plus, toute française d'inspiration. Personne n'avait encore imaginé que des moines partageassent leur temps entre la prière et la police, les offices et les combats; que des monastères fussent en même temps des forteresses gardées militairement. D'où l'embarras d'Honorius II qui, sans méconnaître l'utilité des templiers ni les bonnes intentions de leur créateur, ne savait dans quelle classe les ranger, ni à quel ordre les rattacher, ni quelle règle pouvait leur être appliquée parmi celles qui régissaient alors les monastères. Il chargea donc de l'affaire le cardinal Mathieu d'Albano, un Français, ancien prieur de Saint-Martin-des-Champs, à Paris. Le cardinal fut envoyé en France au début de 1128, avec le titre de légat pontifical. De son côté, suivant les instructions ou les conseils de Baudoin II, Hugues de Payns était entré en contact avec saint Bernard, abbé de Clairvaux. Grâce à ce dernier, l'affaire templière fit un pas de géant et la Champagne devint le berceau de l'ordre et son tremplin en Occident. Il se chargea d'organiser le concile et choisit la ville de Troyes pour lieu de réunion, jetant sa puissante autorité dans la balance, mettant sa plume et son cœur à la disposition des templiers, avant de célébrer leurs louanges en des pages restées fameuses.

Le concile de Troyes

Le concile se réunit dans la cathédrale de Troyes, le 14 janvier 1128, jour de la Saint-Hilaire, comme le spécifie le secrétaire Jean Michiel, chargé d'établir le procès-verbal. Et il énumère avec soin les participants : Mathieu, évêque d'Albano et légat du pape, président, à la suite l'archevêque de Reims, Renaud de Martigné, l'archevêque de Sens, Henri Sanglier, et leurs suffragants : Gocelin de Vierzy, évêque de Soissons, Etienne de Senlis, évêque de Paris, Hatton, évêque de Troyes, Jean, évêque d'Orléans, Hugues de Montaigu, évêque d'Auxerre, Burcard, évêque de Meaux, Erlebert, évêque de Châlons, Barthélemi de Vir, évêque de Laon, Renaud de Semur, abbé de Verdelai (Vézelay), futur archevêque de Lyon et légat du pape, Etienne Harding, abbé de Cîteaux, Hugues de Mâcon, abbé de Pontigny, Gui, abbé de Troisffons (Trois-Fontaines), Ursion, abbé de Saint-Rémy de Reims, Herbert, abbé de Dijon, Gui, abbé de Molesmes et Bernard, abbé de Clairvaux; soit deux archevêques, huit évêques et huit abbés, indépendamment du secrétaire Jehan Michiel et d'autres clercs. Prenaient également part aux débats, à titre de conseillers civils et militaires : Thibaud IV, comte de Champagne, de Brie et de Blois, surnommé « le Grand », Guillaume II, comte de Nevers, d'Auxerre et de Tonnerre, et André de Baudemant. La majorité de ces prélats et de ces abbés mitrés touche de près ou de loin à l'ordre de Saint-Benoît. Leur pensée est toute cistercienne d'inspiration.

Ce fut devant cette impressionnante assemblée de théologiens et de grands seigneurs, sous les voûtes de la cathédrale, à la lueur des cierges de ce matin de janvier, que le maître du Temple, Hugues de Payns, et ses compagnons durent comparaître, à savoir Godefroy de Saint-Omer, Payen de Montdidier, Archambaut de Saint-Amand (dont on sait peu de chose) et les frères chevaliers Geoffroi Bisot et Roland (ou Rotald, ou Roral), dont on ne sait rien sinon qu'ils accompagnaient le fondateur de l'ordre. Ce ne dut pas être une mince chose que de prendre la parole, d'exposer les principes et les premiers usages du Temple, d'en montrer les bienfaits et l'utilité en Terre sainte, de répondre aux objections, de convaincre cette assemblée. Cela supposait une bonne dose d'habileté, et de l'éloquence. Il est vrai que saint Bernard veillait, et, bien qu'en apparence il ne fût qu'un Père conciliaire parmi les autres, il dirigeait les débats. Mais, quant au rôle assumé en propre par Hugues de Payns, le témoignage de Jehan Michiel est probant : « En la manière et l'établissement de l'ordre de la Chevalerie entendîmes en commun chapitre de la bouche du devant dit maître Hugues de Payns; et selon la connaissance de la petitesse de notre conscience, ce que bien nous sembla et profitable, nous louâmes, et ce que nous semblait sans raison, nous l'eschivâmes. » Ce qui signifie clairement qu'Hugues de Payns relata devant le concile les circonstances de la fondation du Temple et, article par article, exposa ses usages et coutumes. Le concile retint ce qui lui semblait bon, écarta ce qui lui paraissait mauvais, bref apporta les modifications qu'il estimait nécessaires. Le secrétaire prend même la peine d'ajouter : « Ce que nous ne pûmes prévoir, nous le laissâmes à la discrétion du sire pape Honoré et d'Etienne, patriarche de Jérusalem, ce dernier connaissant mieux que tout autre les nécessités du service en Terre sainte. » Il est donc inexact d'écrire que le concile de Troyes « donna » leur règle aux chevaliers du Temple. Cette règle préexistait sous une forme assez précise pour que les Pères conciliaires aient pu l'examiner en détail. Leur apport essentiel fut d'adapter les us et coutumes primitifs aux institutions proprement religieuses en vigueur dans les couvents. Ils chargèrent l'abbé de Clairvaux d'en rédiger le texte, qu'ils approuvèrent ensuite après quelques retouches. Bien entendu saint Bernard s'inspira de la règle de saint Benoît, en reproduisant des phrases entières, tout en maintenant l'essentiel du dispositif templier. Rédigée en latin, cette règle comprend, indépendamment de son prologue, soixante-huit articles, et débute par un rappel des obligations religieuses des templiers :

« Vous qui avez renoncé à vos propres volontés, vous autres qui servez le souverain roi avec chevaux et armes pour le salut de vos âmes, veillez universellement à entendre matines et tout le service entièrement selon l'établissement canonique et l'usage des maîtres réguliers de la sainte cité de Jérusalem... » Obligation ayant un caractère absolu, ne souffrant qu'une exception nettement définie, et qui marque la primauté du service divin sur le service militaire. Primauté dont le but était d'exalter la foi, afin de se préparer à mourir pour elle, et dans l'instant. « Repu de la viande de Dieu, et saoulé et pénétré des commandements de Notre-Seigneur, après la fin du divin service, que nul ne s'épouvante d'aller à la bataille, mais soit appareillé à la couronne », c'est-à-dire : soit prêt à recevoir la couronne du martyre. Exhortation qui rejoint le prologue, lequel est d'une telle grandeur que l'on ne peut s'empêcher d'en extraire ces phrases; elles aideront d'ailleurs à mieux saisir l'esprit qui animait le Temple :

« Nous parlons premièrement à ceux qui méprisent leurs propres volontés et désirent en pur courage servir de chevalerie au souverain roi et avec un soin studieux désirent porter et portent en permanence la très noble armure d'obéissance. Et donc nous vous admonestons, vous qui avez mené séculière chevalerie jusqu'ici, en laquelle Jésus-Christ n'en fut mie cause, mais que vous embrassâtes par humaine faveur seulement, de suivre ceux que Dieu a extraits de la masse de perdition et auxquels il a commandé par son agréable pitié de défendre la Sainte Eglise, que vous vous hâtiez de vous joindre à eux perpétuellement... En cette religion a fleuri, est ressuscité l'ordre de chevalerie. »

Et il était promis, à ceux qui feraient ce choix difficile et s'y tiendraient, qu'ils seraient en la compagnie des martyrs.

La règle primitive

Dans le principe, elle n'était applicable qu'à un groupe encore restreint, mais dont l'extension rapide appellera des solutions de circonstance, donc des dispositions complémentaires. L'objet de cet ouvrage étant d'étudier la vie templière au milieu du XIIIᵉ siècle, il paraît superflu d'analyser la première règle de façon trop détaillée. Il convient cependant d'en retracer les lignes de force.

Tout d'abord, la règle subordonnait le Temple à l'autorité ecclésiastique, ce qui était normal s'agissant d'un couvent, mais désignait plus spécialement le patriarche de Jérusalem auquel elle donnait même le pouvoir de combler les lacunes éventuelles du texte conciliaire. Par voie de conséquence elle rendait les templiers justiciables des tribunaux d'Eglise. Quant à leurs obligations religieuses, elles ne pouvaient être celles d'un ordre contemplatif. Les templiers devaient participer aux offices célébrés par les clercs réguliers de Jérusalem, hormis ceux que leur service retenait hors de la maison chevetaine et qui pouvaient remplacer les matines par la récitation de treize Pater, les heures par sept Pater et les vêpres par neuf. L'office devait être entendu en entier. La règle donnait en outre la liste des fêtes et des jeûnes obligatoires.

Lors de la réception d'un nouveau frère, la règle recommandait à la prudence. On devait donner lecture au postulant des commandements de la maison, afin qu'il sût exactement à quoi il s'engageait. Après un temps de probation, le maître et les frères décidaient de lui accorder, ou lui refusaient, l'habit. Bizarrement, la traduction française omet la probation et laisse la décision, immédiatement suivie de la prise d'habit, à la discrétion du maître et du chapitre. De même la règle latine paraît-elle interdire le recrutement des chevaliers excommuniés, alors que la traduction française la

32

recommande, il est vrai sous certaines réserves. Peut-être le traducteur était-il un latiniste médiocre. Cependant il se peut que les templiers aient voulu de la sorte offrir une occasion de rachat à ceux que les évêques condamnaient parfois sur un coup d'humeur.

Touchant également l'entrée dans l'ordre, la règle interdisait formellement que l'on accueillît des enfants, ou des adolescents trop jeunes, quand bien même leurs parents les eussent présentés. Cette défense trouvait sa justification évidente dans la rigueur et le caractère irréversible de l'engagement : lequel supposait en effet une volonté prononcée en pleine connaissance de cause et dans une entière liberté. Elle coïncidait d'ailleurs avec les préceptes en usage dans la chevalerie, selon lesquels on ne pouvait adouber les trop jeunes garçons, incapables, en raison de leur âge, de porter le haubert et ses accessoires, de manier efficacement la lance et surtout la lourde épée : on frappait, non de la pointe, mais de taille; il fallait donc avoir assez de force pour la brandir à bout de bras. Autrement dit, on devait approcher de vingt ans, en tout cas être un homme fait, aux muscles solides.

Entérinant, sans aucun doute, une situation existante, la règle rangeait les membres de l'ordre en quatre catégories; tout au moins suggérait-elle cette classification :
— les chevaliers;
— les sergents et les écuyers;
— les prêtres;
— les frères de métiers.

Contrairement à ce que l'on a souvent affirmé, les frères chevaliers n'étaient pas, à l'origine, tous issus de la noblesse. L'obligation d'être chevalier, fils de chevalier ou supposé tel, se situe à une période où le recrutement ne posait aucun problème. De même faut-il souligner que les frères sergents pouvaient être nobles et surtout quand ils servaient à terme. De toute façon, c'était dans la classe moyenne — les hobereaux campagnards et les bourgeois — que le Temple rencontrait le plus de succès. Est-il besoin d'ajouter que cette classe donnait ses cadres à la société du temps !

Il est un autre point sur lequel on voudrait insister. C'est l'habileté des rédacteurs de la règle. Ils se montrent constamment circonspects. Ils n'essaient pas de tout prévoir. Ils évitent d'établir des barrières étroites, des structures rigides. Ils laissent au contraire une part à l'initiative, aux amodiations, mêlant la fermeté à la souplesse : rigueur dans les principes, mesure dans leur application. Ainsi, la règle accordait-elle au maître du Temple un pouvoir quasi absolu sur les frères; il était cependant tenu de consulter le chapitre avant de prendre ses décisions. Pour autant les Pères conciliaires se gardèrent-ils d'entrer dans le détail du pouvoir magistral, ou de fixer impérativement la composition du chapitre : l'ensemble des frères ou les plus sages d'entre eux, selon les cas et, sous-entendu, le degré d'urgence. Ils ne voulaient pas entraver l'action personnelle du maître et, donc, le laissaient libre de choisir ses conseillers.

On notera aussi qu'il était question de frères de métiers, autrement dit de serviteurs. On peut en déduire qu'en 1128 ceux qui s'intitulaient les « Pauvres Chevaliers du Christ » avaient, d'ores et déjà, les moyens d'entretenir, voire de rémunérer des serviteurs, ces derniers fussent-ils en nombre limité. Il était d'ailleurs quasi impossible à des chevaliers de se passer d'auxiliaires. Ils ne pouvaient transporter eux-mêmes en campagne leurs impédiments, même réduits au strict nécessaire, ni tenir en état leurs armes et leurs armures, au besoin les réparer, ni s'occuper de la nombreuse cavalerie et de ses accessoires : harnais, brides, selles, etc. Il est évident que, dès ses débuts, la maison chevetaine de Jérusalem abritait les indispensables gens de métiers : forgerons, bourreliers, boulangers, cuisiniers... les uns ayant fait profession, les autres servant à terme.

Les vêtements devaient être d'une couleur uniforme, soit blancs, soit noirs, ou même « buriaus », c'est-à-dire gris-brun. Toutefois, par signe distinctif et pour marquer qu'ils sont « réconciliés » avec le Créateur, les chevaliers profès portent, hiver comme été, le manteau blanc, qui est une longue cape. Le blanc est la couleur de l'innocence et de la chasteté, sûreté de courage et santé du corps! Cette réserve formelle avait pour but d'éviter que les chevaliers-hôtes, les écuyers et les servants qui servaient à terme, « par miséricorde », et qui étaient parfois mariés, ne provoquassent le scandale et ne portassent dommage au Temple, en se couvrant du blanc manteau. Il est très probable que cette disposition fut introduite à la demande d'Hugues de Payns, à la suite de certains abus. Pour le reste, la règle recommandait simplement la simplicité. Les vêtements templiers ne devaient présenter nulle « superfluité ». Il était interdit de porter des souliers « à bec » (à la poulaine) et des fourrures, sauf d'agneau et de mouton. Aucune recherche d'élégance, source d'orgueil : il fallait avoir les cheveux courts et la barbe longue; les armes, le harnachement devaient être solides, mais sans aucun ornement. Rien ne distinguait même le maître de ses frères, quant à la tenue.

La discipline était sévère, à la fois religieuse et militaire, selon le principe et la destination particulière de l'ordre. Obligation de manger en silence, et deux par écuelle en signe d'humilité. Mais le régime alimentaire tenait compte du fait que les templiers étaient des combattants. Elle limitait en conséquence les jeûnes pratiqués dans les autres couvents. Dans la même perspective, elle déconseillait aux frères de suivre les offices debout : ils devaient réserver leurs forces pour les patrouilles, le combat.

En résumé, la règle de 1128 était une adaptation des usages pratiqués par le Temple pendant les neuf premières années de son existence, à la règle de saint Benoît. Elle n'ajoutait au règlement initial que peu de chose, mais elle officialisait la confrérie et lui conférait le droit de percevoir des dîmes et de posséder en propre non seulement des domaines mais des fiefs selon le système féodal.

A force d'armes en Grayana

Les érudits disputent assez vainement sur le point de savoir en quelle province d'Europe le Temple reçut ses premières dotations. Sous réserve des chartes qui restent à dépouiller ou à découvrir, il semble que la première d'entre elles soit celle d'une donation consentie en 1127 par le comte Thibaud de Champagne et de Brie. Il est probable, sans que l'on puisse cependant l'attester, qu'Hugues de Payns donna, dans la même période, le fief dont il portait le nom et qui devint le centre d'une des toutes premières commanderies. L'approbation de la règle par le concile de Troyes, l'exemple donné par le comte de Champagne, entraînèrent sans aucun doute les dons les plus divers, et c'est, je crois, dès cette époque que les grandes templeries champenoises furent fondées. Mais, au cours des mêmes années, naissaient les templeries languedociennes, provençales, espagnoles, flamandes et anglaises. Car, à peine le concile eut-il clos sa session, que le maître Hugues de Payns et ses compagnons se dispersèrent, chacun se chargeant de visiter une région déterminée.

Hugues de Payns se rendit en Normandie pour y rencontrer le roi Henri Ier qui l'accueillit avec chaleur et lui permit de passer en Angleterre. Le maître y reçut de nombreuses donations et fonda le temple d'Holborn. Avant le concile, il s'était rendu en Anjou, auprès du comte Foulques venu de Terre sainte pour marier son fils avec Mathilde, fille unique du roi d'Angleterre :

et ce mariage susciterait la prodigieuse fortune des Plantagenêts ! D'Anjou, le maître s'était rendu en Poitou. Ici et là, il collectait les dons, recrutait des adeptes. A son retour d'Angleterre, il passa par Le Mans (en 1129) et, de là, se rendit en Provence où l'évêque d'Avignon octroya aux templiers l'église Saint-Jean-Baptiste. Partout, le maître rencontrait un vif succès. Il est évident que son talent personnel, son éloquence y furent pour quelque chose.

Godefroi de Saint-Omer fut envoyé dans les Flandres, où son père était l'un des principaux seigneurs. Le comte de Flandres fit un don fastueux : il renonça à son droit de relief au profit des templiers, c'est-à-dire à la redevance due lorsqu'on entrait en possession d'un fief. Une templerie fut fondée à Ypres. Joffroi Bisot s'occupa de la Provence et Hugues Rigaud du Languedoc et de l'Espagne. Dans ces contrées méridionales, le succès du Temple fut peut-être plus grand que dans les pays de langue d'oïl. Ce qui peut s'expliquer de diverses manières, dont la meilleure est à coup sûr la proximité des Musulmans. On l'a déjà dit, l'Espagne était encore occupée pour moitié par les Arabes ; les rois de Castille et d'Aragon menaient contre eux une difficile guerre de reconquête, non toujours positive ; les incursions arabes dans leurs territoires causaient de fréquents ravages. Dès 1126, ces princes appelèrent les templiers à l'aide. Venant de Toulouse, le frère Hugues Rigaud trouva donc un terrain propice.

En 1130, Raymond-Roger de Barcelone se fit recevoir templier par Rigaud et donna, non pas un simple domaine, mais la place forte de Granera à la frontière sarrasine. La même année, le roi Alphonse d'Aragon, n'ayant pas de fils, légua par testament son royaume par tiers aux templiers, aux hospitaliers et aux chanoines du Saint-Sépulcre de Jérusalem. En 1132, le comte d'Urgel leur donna son château de Barbera : « Parce qu'ils sont venus et ont tenu à force d'armes en Grayana, et sur la marche, pour la défense des chrétiens. » L'année même du concile de Troyes, la reine Thérésa de Portugal leur donnait la forteresse et le fief de Soure, qui défendait le Sud de son royaume. Un peu plus tard, son fils Alphonse leur donnait la forêt de Céra qu'ils libérèrent des Musulmans, avant d'y fonder trois villes dont celle de Coïmbre.

En Languedoc, leur croissance n'était pas moins rapide, ainsi que l'observe M. Gérard dans son étude sur la commanderie de Douzens. Dès 1132-1133, ils s'implantaient à Carcassonne, Brucafel, Douzens, etc., grâce aux libéralités des notables locaux, voire de très hauts seigneurs comme le vicomte Roger de Béziers. En 1136 était fondée la grande templerie de Richerenches, en Provence.

Louange de la nouvelle chevalerie

Vers 1130, le maître Huguès de Payns regagna Jérusalem, après avoir nommé un maître en France : le frère Payen de Montdidier, de même que le frère Hugues Rigaud paraît avoir assumé la charge de maître en Espagne-Languedoc-Provence. J'écris « paraît », car l'organisation du Temple après le concile ne pouvait être encore que fragmentaire. En l'absence d'une hiérarchie fixée par la règle, on ne pouvait mieux faire que d'improviser. L'implantation et l'extension quasi vertigineuse de l'ordre dans cette partie de l'Europe impliquaient la présence de lieutenants du maître statutairement obligé de résider dans la maison de Jérusalem. Ils avaient très probablement des pouvoirs étendus, leur rôle étant de coordonner le fonctionnement de templeries déjà nombreuses, mais disséminées, et d'accélérer le recrutement. L'ordre ne recevra ses structures définitives qu'une dizaine d'années plus tard.

Toutefois, en dépit de cette réussite inespérée, de

l'enthousiasme sincère que rencontraient les templiers dans toutes les classes sociales, y compris la plus haute noblesse, il y a lieu de croire que l'ordre n'était pas exempt de critiques. Les Pères conciliaires avaient, certes, solennellement approuvé sa fondation et ses usages. Restait pourtant qu'en droit canonique il était interdit aux clercs et aux religieux de verser le sang d'un être humain, fût-il un infidèle. Une fraction de l'opinion publique partageait ce point de vue. D'où les scrupules de certains individus, leurs réticences et, finalement, leur abstention. Hugues de Payns perçut fort bien ce dilemme. Il demanda donc à saint Bernard de le trancher, ne doutant point que le prestige du grand abbé n'emportât les derniers obstacles. Saint Bernard avait plus d'une raison d'aimer les templiers, ayant parfaitement compris la grandeur de leur but et leur utilité sur les deux fronts de la Chrétienté. Cependant la demande d'Hugues de Payns le mettait dans l'embarras. Car le maître n'en appelait pas seulement à son autorité dans les milieux ecclésiastiques, mais à sa science de théologien. Le moins qu'on puisse dire est que saint Bernard se fit tirer l'oreille; il répondit à Hugues de Payns : « *Une fois, deux fois et trois fois,* mon très cher Hugues, vous m'aviez prié d'écrire une homélie pour vous et pour vos frères, et de brandir ma plume contre les tyrans hostiles, puisque la lance m'est défendue... » Mais, précisément, la lance était défendue à tout religieux et les templiers appartenaient indubitablement à l'Eglise. On comprend que saint Bernard ait pris un temps de réflexion. Mais il avait l'âme imaginative ! Son raisonnement s'établit de la sorte : il serait mieux de ne pas verser le sang des infidèles, si l'on pouvait toutefois se défendre d'eux par d'autres moyens que l'épée; les infidèles menaçant l'héritage spirituel de la Chrétienté, il faut se résoudre à les mettre hors d'état de détruire cet héritage. La Terre sainte n'est pas un royaume ordinaire; elle appartient en propre à Jésus-Christ qui l'a baptisée de son divin sang pour le salut du genre humain. Il est donc inacceptable de laisser cette terre à la merci des païens. La guerre en Terre sainte n'est pas une guerre de conquête, encore moins un conflit de races, mais la défense des Lieux saints, berceau de la Chrétienté, particulièrement le Saint-Sépulcre. Qui peut être l'instrument de ce recouvrement et de cette défense ? Non les chevaliers du siècle, vains et cupides, mais les chevaliers du Christ, animés d'une foi profonde et d'un désintéressement absolu.

A partir de là, dans sa *Louange à la nouvelle chevalerie (De laude novae militiae)*, il oppose la chevalerie séculière à la chevalerie céleste des templiers afin de montrer où se trouve la voie du salut. S'adressant aux chevaliers laïcs :

« Vous affublez vos chevaux de soieries, et vous couvrez vos cottes de mailles de je ne sais quels chiffons. Vous peignez vos lances, vos écus et vos selles, vous incrustez vos mors et vos étriers d'or, d'argent et de pierres précieuses. Vous vous parez somptueusement pour la mort et vous courez à votre perte avec une furie sans vergogne et une insolence effrontée. Les oripeaux sont-ils le harnais d'un chevalier ou les atours d'une femme ? Ou croyez-vous que les armes de vos ennemis se détourneront de l'or, épargneront les gemmes, ne traverseront pas la soie ? D'ailleurs, on nous a souvent démontré que trois choses principales sont nécessaires dans la bataille : qu'un chevalier soit alerte à se défendre, rapide en selle, prompt à l'attaque. Mais vous vous coiffez, au contraire, comme des femmes, pour la gêne de votre vue ; vous entortillez vos pieds dans des tuniques longues et larges ; et vous cachez vos mains délicates et tendres dans des manches amples et évasées. Et, ainsi accoutrés, vous vous battez pour les choses les plus vaines, tels que le courroux injustifié, l'appétit de gloire ou la convoitise de biens temporels. »

C'est la caricature de la chevalerie de son temps que trace saint Bernard, d'une plume trempée dans l'ironie. L'héraldique vient en effet de naître, avec ses émaux et ses couleurs chatoyantes, marques de reconnaissance avant de devenir le signe distinctif des familles. Les étoffes qui recouvrent le palefroi, l'armure et le casque, répètent les motifs peints sur les boucliers, rivalisent d'éclat. Cette chevalerie orgueilleuse et frivole, sans mœurs et désordonnée dans le combat, n'a pas sa place dans une juste guerre; elle tue pour tuer ou pour sauver sa vie, craignant de perdre ensemble son corps et son âme. Au contraire, « le chevalier est vraiment sans peur et sans reproche, qui protège son âme par l'armure de la Foi, comme il couvre son corps d'une cotte de mailles. Doublement armé, il n'a peur ni des démons ni des hommes. Assurément, celui qui souhaite mourir ne craint pas la mort. Car comment redouterait-il de mourir ou de vivre, celui pour qui la vie est le Christ, et la mort la récompense? »

Cette nouvelle chevalerie, dont il salue l'apparition en termes superbes, il lui assigne en effet un double but : combattre contre l'esprit du mal et contre « des adversaires de chair et de sang ». Ce que réalisent précisément les templiers, soldats du Christ et moines. D'où ce portrait que lui dictent son enthousiasme et ses dons de grand artiste, et dont le mouvement garde encore son pouvoir d'émotion :

« Ils vont et viennent sur un signe de leur commandeur; ils portent les vêtements qu'il leur donne, ne recherchant ni d'autres habits ni d'autres nourritures. Ils se méfient de tout excès en vivres et en vêtements, ne désirant que le nécessaire. Ils vivent tous ensemble sans femme ni enfants. Et pour que rien ne leur manque de la perfection angélique, ils demeurent tous sous un même toit, sans rien qui leur soit propre, unis par leur règle dans le respect de Dieu.

« On ne trouve dans leur compagnie ni paresseux ni flâneurs; quand ils ne sont pas de service — ce qui est rare — ou en train de manger leur pain en rendant grâce au Ciel, ils s'emploient à réparer leurs habits et leurs harnais déchirés ou déchiquetés; ou bien ils font ce que le maître leur commande, ou ce que les besoins de leur maison prescrivent. *Nul n'est inférieur parmi eux; ils honorent le meilleur, non le plus noble;* ils se font des courtoisies les uns aux autres, et pratiquent la loi du Christ en s'entraidant.

« Les paroles insolentes, les actes inutiles, les rires immodérés, les plaintes et les murmures, s'ils sont remarqués, ne restent pas impunis. Ils détestent les échecs et les dés; ils ont la chasse en horreur; ils ne trouvent pas dans la poursuite ridicule des oiseaux le plaisir accoutumé. Ils évitent et abominent les mimes, les magiciens et les jongleurs, les chansons lestes et les soties. »

Et, se laissant emporter par son imagination de poète, il tombe dans l'exagération, et même le contresens :

« Ils se coupent les cheveux ras, sachant de par l'Apô-tre que c'est une ignominie pour un homme de soigner sa chevelure. On ne les voit jamais peignés, rarement lavés, la barbe hirsute, puants de poussière, maculés par la chaleur et le haubert... »

Il est à penser qu'Hugues de Payns et ses compa-gnons, lorsqu'ils se présentèrent devant les Pères du concile sous les voûtes de la cathédrale de Troyes, devaient être en tunique propre et avoir la barbe pei-gnée. Que Payen de Montdidier, maître en France et, par là même, en rapport avec le roi et la cour, devait avoir une tenue décente, et de même Hugues Rigaud, familier du roi d'Aragon. Quant aux templiers de Jéru-salem, comment eussent-ils supporté le climat s'ils avaient cuit dans leur crasse? Quelles épidémies n'auraient pas décimé le couvent, par suite de la promiscuité! D'ailleurs les témoignages contemporains concordent au sujet de l'impeccable tenue des frères, en paix comme en guerre. L'ordre était bien trop soucieux de netteté, celle du corps comme celle de l'âme, pour ignorer l'hygiène. Mais on peut bien excuser un poète de se laisser emporter par une image, et par le désir d'appuyer un peu trop sur le contraste entre la chevalerie multicolore et empanachée du siècle, et la sobre chevalerie du Christ alignant ses escadrons de manteaux blancs.

CHAPITRE III

LA BULLE D'INNOCENT II

On se souvient que la règle plaçait les templiers sous la subordination du patriarche de Jérusalem. Cette clause restrictive pouvait être une gêne et même, dans une certaine mesure, entraver l'essor de la confrérie militaire ou modifier son orientation. C'est vraisemblablement ce qui dut se produire sous le patriarcat d'Etienne, ex-vicomte de Chartres. Comme les Pères conciliaires lui en avaient donné le pouvoir, il amenda quelque peu, sous certaines conditions, plusieurs dispositions de la règle comme en atteste d'ailleurs la traduction française. Très certainement Etienne de Chartres, par le biais de ces amodiations et contre l'octroi de bénéfices, chercha-t-il à transformer le Temple en milice personnelle, afin d'amener sa prééminence sur les autorités laïques. Ces difficultés, le maître Hugues de Payns ne put que les souffrir.

Robert de Craon

Après sa mort, en 1136, il fut remplacé par Robert de Craon. En élisant ce dernier, « esprit avisé et ouvert », les templiers eurent la main heureuse. C'était exactement l'homme de la situation. Hugues de Payns, caractère admirable certes, avait eu, avant toute chose, les qualités d'un preux. Robert de Craon avait celles d'un administrateur de premier ordre et d'un diplomate. Il comprit, d'emblée, que le Temple ne pouvait prospérer s'il ne recevait l'appui déclaré du souverain pontife et n'était promptement soustrait aux Eglises locales, jalouses de sa réussite et contestant déjà son droit à percevoir des dîmes et des aumônes. Il choisit, semble-t-il, comme ambassadeur le frère André de Montbar, templier depuis 1129 et réputé pour son attachement à l'ordre, de plus oncle de saint Bernard. André de Montbar rencontra d'abord l'abbé de Clairvaux qui lui remit une lettre pour le pape Innocent II.

Le résultat de ces démarches fut la bulle *Omne datum optimum*, fulminée le 29 mars 1139, source de tous les privilèges de l'ordre, et démonstration évidente du merveilleux développement du Temple depuis 1130. Le but apparent de cette bulle était l'institution de chapelains pour le service religieux et liturgique des commanderies. Son but réel : affranchir le Temple des juridictions épiscopales, le soumettre directement à l'autorité pontificale, en clair laisser au maître et à son chapitre la responsabilité totale de la gestion et de la conduite de l'ordre, autrement dit proclamer son autonomie. C'était enfin annuler *ipso facto* les pouvoirs jusque-là consentis au patriarche de Jérusalem, y compris celui de modifier la règle. D'où le trait fielleux que Guillaume de Tyr décoche aux templiers dans son *Histoire des Croisades* : « Ils commencèrent dans la bonne voie, mais ensuite, ils rejetèrent *par orgueil* l'autorité des évêques et du patriarche. » La bulle étendait en outre aux templiers le privilège, dont jouissaient les moines cisterciens, de ne point verser de dîmes pour leurs domaines, et leur confirmait le droit d'en percevoir avec l'assentiment des évêques : est-il besoin d'ajouter que cette affaire de dîmes, amputant notablement les revenus ecclésiastiques, fut la source de conflits d'intérêts parfois assez aigus pour provoquer l'arbitrage des papes, et qu'elle explique dans une large mesure l'attitude hostile de certains prélats, dont celle de l'archevêque Guillaume de Tyr? Méconnaissant, peut-être abusivement, le premier appui que l'Eglise n'avait pas ménagé à Hugues de Payns, la bulle laissait au maître et au chapitre le soin de choisir les chapelains du Temple, sans autorisation particulière de l'évêque diocésain. Les précédents chapelains du Temple servaient « par miséricorde »; ils étaient en somme « détachés » auprès des commanderies, mais ils n'appartenaient pas à l'ordre et leurs supérieurs restaient les évêques. A partir de la bulle *Omne datum optimum*, ils furent templiers à part entière et relevèrent du maître. Il y avait plus, l'ordre recevait le droit de bâtir ses propres chapelles. Enfin, on l'a noté plus haut, le pape interdisait aux autorités ecclésiastiques ou laïques de modifier la règle. Seuls, le maître et son chapitre pouvaient y apporter les changements qu'ils jugeraient utiles. On le voit, la bulle de 1139 assurait au Temple une indépendance à peu près complète, eu égard à l'éloignement du siège pontifical.

Le droit pour le Temple de construire des oratoires et d'avoir ses propres cimetières provoqua la colère des évêques. Le pape l'avait accordé aux templiers, car il estimait indécent et périlleux que, faute d'églises, ils fussent mêlés pendant les offices « à la tourbe des pécheurs et fréquentateurs de femmes ». Peu d'années après, les chapelles templières recevaient cette « tourbe », ce qui privait le clergé de ressources substantielles. Il fallut qu'Innocent II rappelât les évêques à l'ordre par la bulle *Militia Dei* (1145), confirmant et précisant le privilège des templiers. De petites guerres d'intérêts éclatèrent ici et là, malgré le soutien réitéré de la papauté; elles ne trouvèrent leur dénouement qu'en 1307, lors de la chute de l'ordre. Et dès lors, l'attitude mi-figue mi-raisin de l'Eglise, pendant le procès voulu par Philippe le Bel, devient plus compréhensible. En feignant de partager l'indignation du roi, certains dignitaires ecclésiastiques réglaient un vieux compte, qu'ils agissent volontairement ou instinctivement. Il est permis d'écrire sans crainte d'être taxé d'exagération que, si la bulle *Omne datum optimum* fit la gloire des templiers, elle fut aussi l'instrument indirect de leur perte.

En 1147, le pape Eugène III se rendit à Paris d'où le roi Louis VII s'apprêtait à partir pour la seconde croisade. Le pape assista au chapitre du Temple à Paris, alors tout neuf, chapitre présidé par Everard des Barres, maître en France. Il s'émerveilla du spectacle de cent trente chevaliers en manteau blanc, de leur impeccable tenue et de leur piété exemplaire. Et, dans un mouvement de reconnaissance et d'enthousiasme, leur octroya le privilège de porter une croix vermeille sur l'épaule gauche, afin que « ce signe triomphant leur serve de bouclier et qu'ils ne tournent jamais bride en face d'aucun infidèle ». Cette croix d'étoffe rouge symbolisait aussi le martyre qu'ils avaient fait vœu d'accepter, sinon de rechercher.

Les Cornes de Hattin

Désormais, les rajouts apportés à la règle ne toucheront pas aux dispositions essentielles. Ils préciseront les usages qui se seront établis dans le cadre de la règle, au fil des années, au fur et à mesure des circonstances et compte tenu de l'extension du Temple devenu, comme on l'a dit, une puissance internationale, quasi souveraine. Les *Retraits*, rappelons-le, sont généralement datés de 1165; les *Statuts* de 1230-1240 et les *Egards* de 1257-1267.

Il convient donc, avant de passer à la description de la vie templière à son apogée, d'effectuer un survol des événements de Terre sainte jusqu'à cette époque.

On a indiqué plus haut que tout ce qu'avait pu faire le roi de Jérusalem Baudoin II, ç'avait été de consolider l'Etat franc, consolidation facilitée par la division régnant chez les Musulmans. Son successeur, Foulques, ayant épousé Mélisande de Jérusalem, fut couronné roi en 1131. Il eut à défendre son royaume contre un certain Zengi le Sanguinaire, exacte préfiguration de Saladin. Zengi commença par attaquer Edesse dont le vieux comte, Jocelin de Courtenay, mourut héroïquement. Son fils, Jocelin II, un « poulain », préféra transférer sa capitale à Turbessel. La marche avancée au nord du petit royaume se trouvait désormais compromise. Zengi menaça ensuite Tripoli, puis Antioche que le roi Foulques parvint à sauver, mais de justesse. A l'intérieur du royaume la situation se dégradait pareillement. L'un des principaux barons, Hugues de Puiset, révolté contre Foulques, s'enferma dans Jaffa et sollicita l'aide des Egyptiens, ce qui équivalait à une trahison. Cependant, mis à part le comté d'Edesse amputé de sa capitale et des territoires environnants, le royaume de Jérusalem restait à peu près intact, lorsque le roi Foulques mourut prématurément, d'un chute de cheval, en 1143.

Sous la régence malheureuse de la reine Mélisande, Zengi n'eut aucun mal à s'emparer de ce qui restait du comté d'Edesse, auquel Raymond de Poitiers, prince d'Antioche, refusa tout secours. Il ne saisissait pas que la chute d'Edesse rapprochait périlleusement les Musulmans de sa « princée », bientôt envahie par le successeur de Zengi, Nour-ed-Dîn.

La régression des Francs alarma l'Europe. Une fois de plus, saint Bernard intervint; il prêcha la seconde croisade, en 1146, à Vézelay. L'empereur d'Allemagne Conrad III et le roi de France Louis VII prirent la croix et rassemblèrent deux puissantes armées. Pour sa part, le Temple de France envoyait cent trente chevaliers sous les ordres d'Everard des Barres et portant la croix vermeille qu'Eugène III venait de leur octroyer. Les deux armées suivirent l'itinéraire classique (Danube, Serbie, Empire byzantin), quoique séparément. Mais, à Dorylée, les neuf dixièmes des Allemands de Conrad se firent massacrer. L'armée de Louis VII aurait subi le même sort au lieu-dit « la Montagne Exécrable », si le maître des templiers français, Everard des Barres, n'avait pris la situation en main, avec un courage et une promptitude dans la décision qui firent l'admiration de Louis VII. Bien plus, le trésor étant épuisé, les templiers consentirent au roi un prêt considérable, acquérant ainsi de nouveaux droits à sa reconnaissance. La seconde croisade, si bien commencée, n'aboutit à rien. De très sérieuses divergences de vues se manifestèrent, aggravant les pertes sévères que l'on avait éprouvées. Le roi Louis VII voulait reconquérir Edesse. Le prince d'Antioche, appuyé par sa nièce Aliénor d'Aquitaine — qui était encore reine de France —, réclamait la conquête d'Alep. Le jeune Baudoin III opinait pour Ascalon qui couvrait son royaume du côté de l'Egypte. On transigea donc et l'on décida d'assiéger Damas, ce qui constituait une lourde faute, les Damasquins étant plutôt favorables aux Francs. Ce fut un échec, à la suite duquel la croisade se disloqua. En 1149, Louis VII rentrait en France, accompagné d'Everard des Barres qui venait d'être élu maître par les templiers (non plus de France, mais de l'ordre entier !). Everard présidera le chapitre de Paris en 1150, puis, conscient de son impuissance, se démettra de sa charge pour entrer au monastère de Clairvaux où il finira ses jours dans la prière. Tristesse aussi du grand abbé et de son oncle, le templier André de Montbar qui, pourtant, restera fidèle au Temple et continuera à se battre.

Il est peu de dire que la situation se délitait. En 1151, le comté d'Edesse était définitivement perdu et la princée d'Antioche réduite à une bande de terrain entre le fleuve Oronte et la mer. Telles étaient les conséquences de l'échec de Damas. Le jeune Baudoin III, toujours sous minorité, éloigna enfin Mélisande du pouvoir et se fit couronner en 1152. Dès 1150, il avait fortifié la ville de Gaza et en avait confié la défense aux templiers, déjà maîtres de la forteresse de Saphet. A peine installés à Gaza, les templiers furent attaqués par les Egyptiens, mais les repoussèrent vigoureusement. En 1153, Baudoin III, pour en finir avec les incursions égyptiennes, décida de s'emparer d'Ascalon. Pendant le siège mourut Bernard de Trémelay, quatrième maître du Temple. Selon les chroniqueurs, il provoqua sa mort et celle de quarante templiers par cupidité, ou se sacrifia. Il s'était élancé par une brèche que les défenseurs parvinrent à colmater. Ascalon prise, Baudoin III poursuivit une lutte pied à pied pour défendre son territoire, lutte se soldant par l'épuisement des forces dont il disposait. Pour couvrir son royaume au nord, il épousa la nièce de l'empereur byzantin, la princesse Théodora. Ce mariage calma, momentanément, les appétits de Nour-ed-Dîn, et la situation était à peu près stabilisée, quand Baudoin III mourut du typhus, ou de quelque poison, en 1162.

Son frère, Amaury Ier, lui succéda. Il ne le valait pas, bien qu'il fût brave, quelque peu légiste et passât pour lettré. L'objectif majeur de son règne fut la conquête de l'Egypte, « clef du royaume de Jérusalem ». En attaquant, un peu trop vite, la ville du Caire, il provoqua l'immédiate riposte en Syrie de Nour-ed-Dîn et la perte de Harîm et de Bânyias. Geoffroi Foucher, trésorier du Temple et grand commandeur en l'absence de Bertrand de Blanquefort, le nouveau maître, écrivait alors à Louis VII :

« Nous n'avons plus de troupes pour résister, car de six cents chevaliers et de douze mille piétons, il n'échappa (à Nour-ed-Dîn) que les quelques gens qui en ont apporté la nouvelle... Si peu nombreux en Jérusalem, nous sommes menacés d'invasion et de siège. Voyez donc notre nécessité : si vous dissimulez ou hésitez à vous laisser convaincre selon vos habitudes, si vous ne vous décidez pas à nous aider avant que les derniers vestiges de la chrétienté ne soient consumés, jugez combien il est à craindre qu'il ne soit trop tard lorsque vous voudrez nous secourir. Que tous ceux qui sont de Dieu et qu'on nomme chrétiens prennent les armes et viennent libérer le royaume de leurs aïeux et la terre de notre libération, de peur que les fils ne perdent honteusement ce que les pères ont conquis en hommes... »

Dures paroles s'adressant à un roi, fût-il aussi dévot que Louis VII, mais exposé sincère : car tel était bien la précarité du royaume de Jérusalem, aux effectifs si restreints que dégarnir les frontières pour concentrer les forces en vue d'une action quelconque, c'était courir le risque d'une invasion.

Cependant Amaury Ier, sans attendre l'arrivée des renforts byzantins et contre l'avis des templiers, se lança dans la conquête de l'Egypte, s'empara facilement de Bilbéis, mais échoua devant Le Caire. Cet échec eut pour conséquence de permettre au redoutable Saladin de s'emparer de l'Egypte, c'est-à-dire d'unifier l'Empire musulman et de parachever l'encerclement du petit royaume de Jérusalemn.

L'hostilité des templiers à l'entreprise égyptienne n'était donc pas dénuée de sens. Mais si le roi Amaury se heurta à leur refus catégorique, il trouva chez les hospitaliers un terrain plus favorable. Ce n'est là qu'une première manifestation d'une rivalité entre les deux ordres militaires qui ira en s'accentuant. Les hospitaliers, comme leur nom l'indique, avaient commencé par soigner les pèlerins venus à Jérusalem, dans un hôpital fondé naguère par des Amalfitains, d'où que leur croix distinctive répète celle qui figurait dans les armes de la ville d'Amalfi. Devant le succès remporté par Hugues de Payns et ses compagnons et l'approbation de leurs activités à la fois religieuses et militaires par le concile de Troyes, ils s'étaient, comme nous dirions aujourd'hui, « recyclés ». Sans cesser pour autant de donner leurs soins aux pèlerins malades, ils armèrent aussi des chevaliers et des sergents et formèrent bientôt une petite armée. Leurs possessions, leurs forteresses, leur richesse égalèrent rapidement celles des templiers, quand elles ne les dépassèrent pas. D'où certaines frictions que les infortunes réciproques des derniers temps du royaume de Jérusalem aggravèrent, et changèrent même, à plusieurs reprises, en lutte ouverte.

Bien entendu, l'échec égyptien fut mis sur le compte des templiers. L'assassinat par ces derniers d'ambassadeurs ismaéliens accusa la défiance d'Amaury à leur égard. Il songeait à demander la dissolution de l'ordre, lorsqu'il mourut, en 1174, à trente-neuf ans, laissant pour héritier Baudoin IV, un adolescent de treize ans.

Baudoin IV est peut-être le plus admirable personnage de cette épopée d'Orient si fertile en héros et en hommes illustres. C'est le fameux roi lépreux. Dévoré par ce mal sans remède, il eut l'extraordinaire courage de ne pas renoncer à la couronne, mais au contraire d'exercer, scrupuleusement et jusqu'à l'extinction de ses forces, le pouvoir. Son martyre ne fut pas seulement d'endurer d'intolérables souffrances physiques et la lente destruction de son corps, mais de juguler la rapacité de son entourage et de faire face au redoutable Saladin. Couvert de plaies que dissimulaient des voiles, couché sur une litière près de la Vraie Croix, il livrait des batailles. A Mont-Gisard, il sauva le royaume d'une destruction certaine. Soutenu par une volonté de fer, ce mourant allait de victoire en victoire. Il sauva encore le krak de Moab avant de mourir, le 16 mars 1185.

Désormais, la Terre sainte était condamnée. Le régent du royaume, Raymond de Tripoli, et le mari de la sœur du roi défunt, Gui de Lusignan, se disputaient la couronne. Lusignan l'emporta, grâce à l'appui d'un mauvais maître du Temple, nommé Gérard de Ridfort, aventurier sans scrupule, élu par intrigue. Ce fut ce Ridfort qui incita Gui de Lusignan, contre l'avis de Tripoli, à attaquer Saladin aux Cornes de Hattin, le 4 juillet 1187. Les jours précédents, Ridfort à la tête d'une partie de ses templiers avait lui-même follement attaqué les Musulmans. Submergé par le nombre, il était parvenu à fuir, en laissant massacrer les siens. Les Cornes de Hattin sonnèrent le glas du royaume de Jérusalem. En une journée fut effacé un siècle de combats, de travaux, et disparut quasi toute la chevalerie franque. Les templiers perdirent deux cent trente des leurs, froidement exécutés sous les yeux de Saladin. Il ne subsistait du couvent de Jérusalem qu'une vingtaine de frères, mais Ridfort survivait, ainsi que l'incapable Lusignan. Exploitant à fond le désastre chrétien, Saladin prenait Acre le 10 juillet, puis Jaffa, Beyrouth et Ascalon. Le 20 septembre, Jérusalem capitula, et la chute de la Ville Sainte frappa l'Europe de stupeur. On crut la Terre sainte retombée aux mains des infidèles. A la vérité, qui eût osé prophétiser que son agonie durerait encore un siècle, entrecoupée de rémissions et même d'espoirs de reconquête?

Le 13 juillet 1187, le marquis Conrad de Montferrat débarquait à Tyr et contraignait Saladin à lever le siège. La résistance s'organisa sous son impulsion. Dès le 20 août, les Francs mettaient le siège devant Acre. Ces événements tragiques avaient remué assez profondément l'opinion pour provoquer une troisième croisade, celle de Richard Cœur de Lion et de Philippe Auguste. Elle aboutit, grâce à Richard, à la reconquête d'Acre, de Jaffa, de quasi toute la bande littorale, au libre accès de la ville de Jérusalem et à une trêve de trois ans avec Saladin. Par chance pour les Francs, car l'esprit de croisade avait jeté ses derniers feux, celui-ci mourut en 1193. Une quatrième croisade fut pourtant lancée par le pape Innocent III, mais, détournée de son but par l'astuce des Vénitiens, elle aboutit, non au rétablissement de la situation en Terre sainte, mais à la prise de Constantinople. Cependant le roi Henri de Champagne, élu à la place de l'incapable Gui de Lusignan — auquel on donna Chypre en compensation —, puis Amaury, son frère, maintinrent tant bien que mal un semblant de royaume latin au sein d'un Islam à nouveau divisé.

Un instant, le destin hésita. Le roi Jean de Brienne, un Champenois, faillit reconquérir l'Egypte. Il prit Damiette (en 1219). Les Musulmans lui offrirent de rendre Jérusalem contre cette ville. Il refusa sur les maladroites instances du légat du pape. Et, naturellement, l'Egypte fut perdue.

Lorsque l'empereur Frédéric II de Hohenstaufen eut épousé Isabelle, fille de Jean de Brienne et, en droit, reine de Jérusalem, on crut la Terre sainte sauvée. Il ne fit rien d'autre que d'évincer son beau-père, se couronner lui-même roi de Jérusalem et conclure avec les Musulmans le déplorable traité de Jaffa (1229). Sans doute l'empereur-roi avait-il obtenu la rétrocession de Bethléem, Nazareth, Toron, Sidon, etc. Mais Jérusalem devait rester ville ouverte, proie offerte au premier rezzou. Dans la réalité, cet étrange croisé – un croisé frappé d'excommunication! – avait pratiqué une politique déloyale envers les barons de Terre sainte et les templiers. Il avait même tenté de s'emparer de leur forteresse de Château-Pèlerin. Il repartit pour l'Europe en laissant un cadeau empoisonné : la querelle des Guelfes et des Gibelins.

En 1244, Jérusalem fut reprise par les infidèles; en 1247, Ascalon et Tibériade; l'encerclement de la Syrie était désormais total, aggravé par l'invasion mongole. La croisade de saint Louis ne put faire diversion. Elle n'aboutit qu'à la sanglante défaite de Mansourah en 1249, où mourut le maître du Temple, Guillaume de Sonnac. Désormais, la défense de ce qui subsistait du royaume de Jérusalem reposait entièrement sur les ordres militaires, mais principalement sur les templiers. Si l'on veut avoir une idée de leur sacrifice, il suffit de constater que, sur vingt-trois maîtres, treize moururent les armes à la main.

CHAPITRE IV

COMMENT ON FAISAIT UN TEMPLIER

> *C'est si come l'on doit faire frère*
> *et recevoir au Temple.*
> > *Règle du Temple.*

PÉNÉTRONS maintenant dans les arcanes du Temple, en nous plaçant au niveau le plus bas, celui d'un postulant. Assez instruit et assez méritant pour recevoir quelques dignités, il accomplira la carrière type d'un chevalier ayant la bonne fortune – ou, selon les points de vue, l'infortune – d'atteindre un âge assez avancé. Ainsi fera-t-il connaissance avec des templiers aux activités diverses, après avoir effectué son apprentissage dans une modeste commanderie « agricole ». Il mènera ensuite la vie dangereuse des templiers de Terre sainte, puis reviendra en France où il finira ses jours de façon anonyme. Rares sont les templiers qui laissèrent une trace dans l'histoire; tout ce qu'ils accomplissaient, le service ordinaire comme les actions d'éclat et les sacrifices insignes, l'était au nom de l'ordre et point en leur nom et pour leur glorification personnelle. Tous avaient parts égales dans l'honneur du Temple, comme dans son capital d'oraisons. Aucun d'entre eux ne pouvait posséder quoi que ce fût, même une arme de prix qu'on lui aurait offerte, même quelques sous. Aucun ne pouvait revendiquer davantage un mérite particulier. En entrant dans l'ordre, la plupart d'entre eux avaient abandonné leur patronyme; on ne les connaissait, on ne les désignait que par leur prénom : frère Hugues, frère Joffroi, frère Roland. Il fallut le scandale du procès de 1307, pour que l'identité complète d'une centaine de frères fût dévoilée. Seuls, les maîtres et les très hauts dignitaires, en raison de leurs contacts nécessaires avec le monde, étaient réellement connus par leur nom de famille.

Partant de ce principe et par commodité, nous appellerons notre templier Jocelin, prénom répandu. Et, pour donner quelque chose à l'imagination, du moins en apparence, nous essaierons de le situer socialement et psychologiquement : de la sorte, et on y insiste, représentera-t-il le templier moyen.

Et, comme il faut bien choisir une commanderie pour la réception de Jocelin, nous retiendrons celle de Coulommiers, en Ile-de-France, dans l'ancienne province de Brie, non loin de Provins, baillie templière. Ce choix n'est point fait au hasard. Il incitera le lecteur curieux des monuments anciens à visiter un ensemble templier à peu près complet et assez typique pour qu'on le signale à son attention : chapelle, salle du chapitre, logis du commandeur et des frères, caves et celliers, bâtiments d'exploitation. Et d'apprécier l'œuvre réellement extraordinaire, exemplaire, de Jean Schelstraete. Ce dernier, avec des équipes de jeunes volontaires — de tous pays, de tous métiers, de toutes classes, ayant en commun l'enthousiasme et le désintéressement de la jeunesse —, a réalisé le miracle de sauver ces ruines. Mieux, il leur a rendu, et continue de leur rendre, leur aspect initial et leur air de santé, en un mot la vie. Il est plaisant, il est revigorant de pouvoir écrire que la vieille templerie a ressuscité grâce au dévouement de ces jeunes que Jean Schelstraete appelle « suavement et bellement » les Compagnons de la Commanderie. Débarrassée des ronces et des lichens qui la dévoraient, des ajouts parasites qui la défiguraient, rejointée, consolidée, recouverte, sans rien que l'on puisse contester dans ces restaurations, elle se dresse, hautaine et fraternelle, sur le grand ciel de Brie; elle émeut les âmes capables d'émotion et touche les cœurs qui n'ont pas oublié. C'est ici que l'on peut humer l'air du Temple, et tenter de percevoir, après tant de siècles, ce que pouvaient être ceux qui ont élevé ces fortes murailles, car si les hommes ont parfois la mémoire courte, les pierres n'oublient pas.

Ce n'était pourtant qu'une simple commanderie. Elle relevait de la baillie, ou de la baylie, de Provins, comme je l'ai dit plus haut. Cette dernière était elle-même placée sous le contrôle du Temple de Paris, chef-lieu de la province de France, subordonnée, comme toutes les provinces templières d'Europe, au maître qui résidait statuairement en Terre sainte avec son état-major. Chaque province avait ses visiteurs (sortes d'inspecteurs généraux) désignés par le maître et son chapitre. Nous compléterons, quand il sera temps, cette vue par trop schématique.

Le postulant

1250 : Jocelin a vingt ans — mettons. C'est un fort gaillard, bien râblé et découplé, à l'œil clair, aux cheveux blonds tirant sur le roux, au teint rose quoique déjà hâlé par la vie au grand air, on veut dire par les chevauchées. Il a des épaules de forgeron, la cuisse preste et solide, et cette souplesse dans le mouvement qui reste le privilège de toutes les jeunesses du monde, avec, peut-être, un soupçon de retenue. Son front pâle n'est pas celui d'un clerc, sans être mangé par la chevelure; ce n'est pas un front de penseur, mais l'intelligence l'habite. Il a un soupçon de barbe dorée encadrant des mâchoires dures et carrées, celle des races énergiques, et les poils d'une moustache naissante masquent un peu ses lèvres vermeilles. Il a des mains nerveuses, faites pour porter l'épée et manier la lance, mais, quand on considère leur largeur et leur robustesse, on perçoit bien qu'elles feraient de bonnes mains d'ouvrier, l'occasion s'offrant. Voilà pour le portrait physique du garçon; il est exactement calqué sur les effigies de l'époque, qu'elles soient peintes, taillées dans la pierre, ou enluminées. La haute taille, le profil longiligne sont des inventions de sculpteurs : les statues colonnes.

Jocelin appartient à une mince famille de hobereaux campagnards, moins riches certes que la plupart des bourgeois de Provins, appauvris et quasi ruinés par les croisades. Les aïeux de Jocelin ont accompagné leurs souverains, les comtes de Champagne et de Brie, en Terre sainte. Comme tant de leurs semblables, ils ont vendu en hâte, dans des conditions le plus souvent déplorables, les meilleures de leurs terres, contracté des prêts, afin de réaliser les sommes nécessaires à leur équipement et à celui de leurs écuyers, aux frais énormes du voyage. Aucun d'entre eux ne s'est fixé en Terre sainte, ne s'est vu octroyer par le roi de Jérusalem, par le comte d'Edesse ou le prince d'Antioche, quelque bon fief. Peut-être n'ont-ils rien demandé, n'ayant pas l'esprit d'intrigue. Ou bien, repris par le mal du pays, n'eurent-ils, besogne faite et mission remplie, que le désir de rentrer promptement. N'ayant récolté que des coups, ils revenaient pauvres, ou ne revenaient pas, mourant dans les sables au fort d'une bataille obscure, ou sur le chemin du retour, ou dans la promiscuité nauséabonde des nefs où les pèlerins s'entassaient. D'une croisade à l'autre, la famille perdait un peu de son importance et, déjà, la noblesse se calculait, non point en fonction de son ancienneté ou des services rendus, mais à la surface de ses terres, à l'importance de ses droits et de ses revenus.

Jocelin n'est qu'un cadet. Tout ce qui subsiste du patrimoine, son frère aîné l'a reçu en héritage. Lui, comme il est d'usage, on l'a d'abord destiné à l'Eglise. Il a donc appris à lire et à écrire, avec le curé de la paroisse; il sait même un peu de latin, juste assez pour entendre la messe, non beaucoup davantage. Mais le sang vif qui coule dans ses veines ne peut s'accommoder d'une existence studieuse et paisible. Jocelin est né homme de guerre et cavalier. Il l'a compris, et peut-être regrette-t-il d'être incapable d'exercer le saint ministère en quelque riche paroisse. Ce n'est pas qu'il manque de foi; au contraire, il aime de son cœur tout neuf Dieu et son fils, et Notre Dame Marie, mais il a besoin d'épuiser les forces qui s'amassent en lui dans l'oisiveté, et de chevaucher à crever sa monture. Son unique et stérile plaisir est la chasse, cette caricature de la guerre, du moins la chasse à courre. Il a aussi la tête par trop bourrée de ces exploits que relatent les chansons de geste, les récits trompeurs des trouvères, et de ceux que ses aïeux ont accomplis et que la piété familiale n'a pas manqué d'embellir. Le vieil homme de son nom, de son sang, qui se trouvait à la prise de Jérusalem avec Godefroi de Bouillon, il rêve de l'égaler. Car ne l'oublions pas, il a l'imagination intacte et fiévreuse de ses vingt ans et, tel que la nature l'a pétri, il ne peut que vouloir faire de grandes choses, s'accomplir en une action sublime. Ce qu'il fuit, ce qui l'effraie par-dessus tout, comme tous les jeunes de tous pays et de tous âges, dignes de porter le trophée de leur jeunesse, c'est la monotonie des destinées ordinaires, des actes quotidiens assumés dans l'anonymat d'une vie obscure, fût-elle confortable. Ajoutez à ces dispositions naturelles la puissance du souvenir, la force des traditions et l'espèce de romantisme avant la lettre qu'ils suscitent. Refusant d'être clerc, mais impécunieux, que pouvait attendre Jocelin de la vie? Il devint soldat, entra au service du comte de Champagne dont les pères avaient toujours protégé sa famille, car il savait bien que cette menue hobereautaille s'était installée dès les origines dans le comté. Mais à quoi ressemblait le service dans la châtellenie de Troyes dont les maîtres tenaient une espèce de cour ? Pouvait-on se distinguer en montant la garde devant une porte ou sur un chemin de ronde, en escortant le comte quand il se rendait dans sa ville de Provins, en conduisant les suspects en prison et les condamnés au gibet ? Etait-ce là le métier d'un chevalier, et son utilité sur terre ? Bien sûr, le comte, dans sa bienveillance, l'avait-il fait adouber à ses frais, lui avait-il promis quelque mariage avantageux ? Epouserait-il un laideron pour avoir des rentes et briller dans le monde ? Il y avait autre chose en lui : la fascination de l'Orient, c'est-à-dire de l'inconnu. Mais, démuni comme il l'était, pouvait-il partir outre-mer, à moins que le comte ne se décidât à prendre la croix ? Jocelin a entendu assez de conversations, reçu assez de confidences, pour savoir que l'esprit de croisade appartient au passé. En outre, vivant dans l'entourage des grands, il a pu mesurer leur égoïsme et leur vanité. Enfin, à l'image de certains frères du Temple et non des moindres, a-t-il essuyé quelque dépit amoureux, aggravant son précoce mépris du monde. Cet amour courtois, que les poètes mettent à la mode, est un jeu de société pour lequel Jocelin n'est pas fait. Il a l'esprit trop grave. Il sent trop de différences entre ces élégantes mômeries et sa soif d'un amour qu'il ne peut définir.

C'est dans cet état de désarroi qu'il fait connaissance des templiers de Provins. Il les a vus, observés passionnément, sortir et rentrer des deux fortes commanderies qu'ils possèdent dans la ville. Il a vu leurs têtes rases et leurs mentons barbus, leur tunique à croix rouge et leurs manteaux blancs. Les uns s'affairaient sur la place du marché, occupés à une besogne qui lui parut mystérieuse. Les autres convoyaient deux à deux, sur de magnifiques chevaux, de riches marchands regagnant Paris. Par curiosité, il est entré dans l'une de leurs chapelles et il a assisté à l'un de leurs offices. A la suite de quoi, des frères l'ont accosté et lui ont parlé avec cette courtoisie de paroles qui les distinguait entre tous. Le plus vieux d'entre eux l'a prié de partager le repas des frères, dans le clair réfectoire. Puis il a visité la commanderie et ses dépendances, et toujours on lui parlait avec la même suavité, et le commandeur lui-même le reconduisit jusqu'au portail, pour lui faire honneur, le traitant non pas comme un pauvre chevalier, non comme un mercenaire du comte, mais comme une personne de qualité. Et le commandeur finit par dire qu'étant jeune templier, il avait connu le père de Jocelin, dont il prisait fort la prudhomie.

Une autre fois, dans la même ville, il s'enhardit à demander comment on entrait au Temple, déplorant de n'avoir à offrir qu'un peu d'argent, un moulin et quelques arpents de terre lui venant d'un oncle. Le templier le rassura : ce n'était point la fortune que l'ordre recherchait, mais la valeur authentique et la ferme volonté de servir. Mais il se garda d'aller plus avant, d'émettre un conseil, d'influencer Jocelin. Et celui-ci, habitué à la soldatesque, s'étonna de cette discrétion.

Après quoi le garçon visita les templiers de Troyes qui révéraient le souvenir du premier maître Hugues de Payns et de son protecteur le grand abbé de Clairvaux. L'idée d'endosser le blanc manteau, de porter la croix de sang au-dessus de son cœur inassouvi, cheminait, jour après jour, en lui. Et le hasard le mit en présence d'autres frères, dans les mois qui suivirent, avec une insistance étrange, comme s'il eût voulu lui forcer la main. Portant un message du comte, Jocelin rencontra une trentaine de templiers, chevauchant deux par deux : ils descendaient vers le sud, venant de Paris. Chemin faisant, s'hébergeant aux étapes dans les commanderies jalonnant leur itinéraire, ils s'augmenteraient d'autres frères chevaliers et sergents, comme eux envoyés en Terre sainte. Les renforts se rassembleraient à Marseille, où, lui dirent-ils, ils s'embarqueraient sur deux nefs du Temple à destination de Saint-Jean-d'Acre, et à la grâce de Dieu. Et le commandeur, qui les conduisait, ajouta que la guerre se déchaînait à nouveau « en Terre de promission » et que le temps pressait. Quand les chevaux se furent désaltérés à la mare, Jocelin demanda au vieux chef la permission de lui faire un brin de conduite, et cette faveur lui fut accordée courtoisement. Ce qui plaisait si fort à Jocelin, c'était ce contraste entre la rigueur militaire et cette suavité d'attitude et de paroles, et, encore, la sorte de fraternité qu'il pressentait. Il vit un jeune templier resserrer le harnachement du cheval de son compagnon usé par l'âge et il s'étonna, car il était tout d'une pièce et spontané, qu'un frère si ancien partît pour ce long voyage. On lui répondit qu'il n'avait d'autre désir que celui de mourir en Terre absolue et que, nonobstant sa langueur de vieillesse, les supérieurs avaient consenti à son départ : « Car la mort, beau frère, est au bout de nos peines, notre récompense et notre salut. » Et le commandeur reprit :

« Et le martyre, la seule gloire que nous puissions acquérir en tant qu'humaines créatures. » Ensuite, comme s'il perçait à jour l'âme ténébreuse de Jocelin et entrevoyait ses rêveries les plus intimes, il parla des collines d'Orient, des arbres singuliers qui couvraient leurs pentes, des villes blanches au milieu des palmiers, et des châteaux templiers contrôlant les routes, au milieu de déserts peuplés d'animaux inconnus en Europe. Il avait passé là-bas les dix plus belles années de sa vie, disait-il. Mais lui, non plus que les templiers de Provins, ne l'avait incité à prendre l'habit, encore qu'il eût perçu le vif désir qu'il en avait. Car c'était « plus belle chose » que la demande vînt de Jocelin. Ce dernier mit un peu de temps à comprendre cette réserve, qui ressemblait pourtant à une invite. Enfin, non sans crainte d'être rabroué bien qu'il eût bonne espérance, il s'ouvrit de son projet aux frères de Troyes. Ils accueillirent sa demande avec une chaleur déjà fraternelle, et même une sorte de jubilation communicative. Il en fut bizarrement heureux. Il dit qu'il possédait quelques lopins de terre à Coulommiers, et de menues économies; que son intention ferme était de les offrir à l'ordre, confus de donner si peu, quand d'autres avaient remis des fiefs entiers, de grosses fermes ou des forêts. On lui répondit à nouveau, « bellement et suavement », qu'il n'avait pas à se chagriner de ce peu; que l'ordre du Temple n'était pas seulement riche de biens temporels, mais de trésors spirituels : les prières des templiers, les actions perpétrées au service de Jésus-Christ. On lui spécifia en outre que sa demande serait transmise aux frères de Coulommiers, puisque cette commanderie recevrait ses dons, comme il était logique, étant situés à proximité et lui-même originaire de cette région. Dès lors, il ne lui resta plus qu'à solliciter son congé au comte de Champagne et à attendre que, selon la règle, les frères de Coulommiers l'appelassent. Il sut enfin, par les frères de Troyes, que sa demande était agréée, et qu'on profiterait du passage du lieutenant du maître en France pour le recevoir. C'était dans les usages qu'à leur passage dans les commanderies d'importance moyenne les dignitaires fissent de nouveaux frères. Ainsi honorait-on les nouveaux venus, en conférant à leur réception un surcroît de solennité. Mais déjà, ses heures de liberté, Jocelin les consacrait aux frères de Troyes qui l'initiaient à leur mode de vie, lui parlaient des coutumes de l'ordre, et de sa discipline. Il avait renoncé à chasser et à jouer aux dés ou aux échecs, puisque ces divertissements lui seraient bientôt interdits. Il apprit, au tout début de janvier, que frère Humbert de Peyraud, lieutenant du maître, se trouvait en mission à la baillie de Provins, et son impatience redoubla, car il avait hâte désormais d'abandonner le siècle, c'est-à-dire la cour du comte de Champagne. Mais Humbert de Peyraud approuverait-il le choix des frères de Coulommiers? Les frères de Troyes mirent fin à ses réflexions. On le convoquait d'urgence à Coulommiers où frère Humbert s'arrêterait le jour de la fête des Rois, 6 janvier. Le comte de

Champagne eut la générosité de lui laisser son armure, ses armes et son cheval. Jocelin partit donc pour sa nouvelle vie, par un petit matin d'hiver, ne sentant ni l'aigre bise où voletaient les premiers flocons, ni le gel qui pinçait dur. Son cœur était vaste, rouge et brûlant comme le soleil qui montait au-dessus des arbres. Jocelin ne craignait que d'être en retard. Il fit étape à Provins, où les templiers l'hébergèrent généreusement et le traitèrent, non pas en visiteur de distinction, mais déjà en frère. Il faillit les suivre en leur dortoir. On l'en repoussa doucement, pour le conduire à la chambre qui lui était assignée. Deux frères, qui se rendaient dans une commanderie lointaine, lui firent un bout de conduite. Quand il arriva en vue de Coulommiers et comme il s'était arrêté un instant pour regarder les remparts noirâtres et les flèches de la ville, deux autres Templiers vinrent à lui. Au sommet d'une colline, à l'intersection de deux routes, se dressait la commanderie. Autour de ses rudes murailles et contre le chevet de sa chapelle, la neige était épaisse et immaculée, comme un manteau du Temple étendu sur la terre. Et la partie du ciel qui touchait à cette blancheur, se pailletait et s'irisait. Pour Jocelin, le ciel de ce matin, un concert de grandes orgues le traversait et cette neige prenait valeur de symbole. Ces lumières, ces étoiles de givre, ce brouillard en mouvement dans les vallées, chaque pierre de la commanderie, tout se gravait, en un instant, dans sa jeune mémoire. En gravissant la côte assez raide qui conduisait à la commanderie, les trois chevaux hennirent, dispersant à toutes les aires de l'horizon une volée d'oiseaux. Des corneilles croassaient autour du gonfanon noir et blanc, attaché à la hampe d'une croix dorée sur la flèche de la chapelle. Les vantaux du portail cavalier, percé dans le mur d'enceinte, s'entrouvrirent. Jocelin pénétra dans la vaste cour. Des écuyers prirent son cheval par la bride, le menèrent à l'écurie. Des domestiques portaient des fourchées de fourrage, sciaient des bûches, et d'autres tenaient par l'anse un grand chaudron dont le contenu fumait dans l'air gelé. Tous avaient la croix rouge cousue à l'emplacement du cœur. On entraîna Jocelin vers le logement du commandeur et des frères, un grand bâtiment d'allure monastique, mais percé d'archères au rez-de-chaussée et divisé en son milieu par le fût d'une tour chapeautée de tuiles brunes. Le toit de la chapelle, à deux pans aigus, luisait dans la lumière frileuse du matin. Jocelin fut invité à se restaurer, pendant que l'on délibérait sur sa postulance. Délibération qui d'ailleurs fut brève. Les templiers avaient recueilli sur son compte les renseignements voulus. La famille de Jocelin était connue. Rien ne s'opposait donc à le recevoir dans l'ordre, puisqu'il avait ferme vouloir d'y entrer. Le frère Humbert de Peyraud, qui présidait le chapitre, ayant consulté l'assistance, prononça la formule d'introduction consacrée par la règle :

« Beaux seigneurs frères, vous voyez bien que la majorité est favorable pour faire de Jocelin un frère. S'il y avait parmi vous quelqu'un qui connût en lui une chose de nature à l'empêcher d'être un frère selon la règle, qu'il le dise; car il serait préférable qu'il le dise avant plutôt qu'après qu'il sera venu devant nous. »

Personne n'ayant à dire quoi que ce fût, frère Humbert invita le commandeur de Coulommiers à faire entrer Jocelin dans une chambre et à envoyer près de lui deux ou trois des frères présents, parmi les plus sages, afin de lui poser les questions préalables et de le mettre en garde, s'il en était besoin, contre une décision hâtive, ou prise sur un coup d'humeur, et qu'il regretterait par la suite. Autrement dit, la décision que le postulant devait prendre étant irrévocable, on lui accordait un ultime délai de réflexion. Tant qu'il n'aurait pas comparu devant le chapitre et fait ses promesses, il restait libre de renoncer, de partir. Cet entretien dans la chambre était beaucoup plus qu'une formalité.

Jocelin fut donc introduit et deux frères vinrent s'asseoir devant lui. Mais, à la façon dont il les accueillit, dont il regarda aussi la croix de leur tunique, ils comprirent que le garçon ne se déroberait pas.

« Frère, dit néanmoins le plus vieux, demandez-vous à entrer dans notre compagnie ?

— Oui, sire. »

(Plus exactement : « Oïl, sire ! » Que l'on nous pardonne d'actualiser un peu la vieille langue française, non sans regret d'ailleurs, non sans penser que l'on efface un peu cette buée qui recouvre les plus beaux fruits !)

Ensuite, selon l'usage, mais brièvement, le vieux templier lui parla de la discipline de l'ordre ; il énuméra les interdictions, les devoirs et obligations de toute nature. Puis :

« Frère, souffrirez-vous tout cela pour Dieu ? Y êtes-vous bien décidé ? Voulez-vous être serf et esclave de la maison désormais tous les jours de votre vie ?

— Je souffrirai tout pour Dieu et je veux être serf et esclave de la maison pour toujours.

— Tout à l'heure, le lieutenant du maître en France vous demandera si vous avez épouse ou fiancée, si vous n'avez prononcé de vœux dans aucun autre couvent, si vous avez des dettes, si vous êtes sain de corps et homme libre. Vous devez répondre avec franchise, ne rien dissimuler, car votre mensonge porterait dommage à l'ordre et vous exposerait à nos châtiments... Frère, ne vous émeuvez pas. Que répondrez-vous ?

— Je suis quitte de toutes ces choses. »

La réception

Les deux templiers l'ont laissé dans la chambre. Ils vont, comme le prescrit la règle, rendre compte de leur entretien. Ils rejoignent le chapitre qui, pour cette circonstance solennelle, se tient dans la chapelle, tous cierges allumés, en présence du chapelain. S'adressant à frère Humbert, le plus ancien déclare :

« Sire, nous avons parlé à ce prud'homme qui est dehors et lui avons montré les rigueurs de la maison, ainsi que nous avons pu et su le faire. Et il dit qu'il veut être serf et esclave de la maison et que, de toutes choses que nous lui demandâmes, il est quitte et délivré, et qu'il n'y a en lui rien qui l'empêche de pouvoir et de devoir être frère, s'il plaît à Dieu, et à vous et à nos frères. »

Derechef frère Humbert demande si personne ne veut dire quelque chose contre le postulant, et il répète que, s'il y a un empêchement, mieux vaut le savoir maintenant qu'après. Nul ne souffle mot. Il demande pour la dernière fois :

« Voulez-vous qu'on le fasse venir de par Dieu ? »

Ils répondent, ensemble :

« Faites-le venir de par Dieu. »

La cérémonie de réception va commencer. Les deux frères retournent dans la chambre où Jocelin attend, mains jointes :

« Frère, disent-ils, êtes-vous encore en bonne volonté ?

— Oïl.

— Vous allez paraître devant le chapitre. Vous devrez saluer le chapitre et vous agenouiller, mains jointes, devant celui qui le préside. Puis vous prononcerez les paroles que nous allons vous dire... »

Jocelin pénètre enfin dans la chapelle, avec ses deux guides. La clarté des chandelles qui environnent l'autel efface la lueur des vitraux, et l'éblouit. Il regarde les chevaliers debout autour de frère Humbert. Tous portent le manteau blanc sur une tunique blanche serrée à la taille par une ceinture de cuir noir. Tous portent la grande croix pattée. Tous ont le crâne ras et la barbe longue. Seul le chapelain est vêtu de noir. Il se tient près d'un lutrin sur lequel est ouvert un livre, et il prie. Jocelin s'avance, intimidé, vers ces hommes qui vont devenir dans un moment ses compagnons, et pour toute la vie. Leurs graves regards convergent vers lui, le scrutant et l'appelant tout ensemble. Au milieu des frères de Coulommiers, et bien qu'aucun détail vestimentaire ne le distingue d'eux, Humbert de Peyraud ressemble au comte de Champagne en sa cour; c'est un grand seigneur mais qui a renoncé à sa hautainerie. Jocelin, selon les ordres qu'il a reçus, s'agenouille devant lui et joint les mains :

« Sire, je suis venu devant Dieu et devant vous, et devant les frères, et vous prie et vous requiers, pour Dieu et pour Notre-Dame, de m'accueillir en votre compagnie et de me donner part aux bienfaits de la maison. »

Alors, frère Humbert prononce les paroles que tous les templiers ont entendues avant de recevoir l'habit, si profondes et si fortes que, de nos jours encore, elles gardent je ne sais quelle puissance d'évocation, quel accent, quel parfum d'un monde perdu !

« Beau frère, vous requérez bien grande chose, car de notre ordre vous ne voyez que l'écorce qui est au-dehors. Car l'écorce, c'est que vous nous voyez avoir de beaux chevaux et de beaux harnais, et bien boire et bien manger, et avoir de belles robes, et il vous ensemble ainsi que vous y seriez bien aise. Mais vous ne savez pas les rudes commandements qui sont par-dedans : car c'est rude chose que vous, qui êtes sire de vous-même, vous deveniez serf d'autrui. Car à grand-peine ferez-vous jamais ce que vous voudrez : car, si vous voulez être en la terre deçà la mer, l'on vous mandera delà; ou, si vous voulez être à Acre, l'on vous enverra en la terre de Tripoli ou d'Antioche ou d'Arménie, ou l'on vous mandera en Pouille ou en Sicile, ou en Lombardie, ou en France, ou en Bourgogne, ou en Angleterre, ou en plusieurs autres terres où nous avons des maisons et des possessions. Et, si vous voulez dormir, on vous fera veiller; et si vous voulez quelquefois veiller, on vous commandera d'aller vous reposer dans votre lit. Quand vous serez à table et que vous voudrez manger, l'on vous commandera d'aller où l'on voudra et vous ne saurez jamais où. Les bien grondeuses paroles que vous entendrez maintes fois, il vous faudra souffrir. Or regardez, beau doux frère, si vous pourrez bien souffrir toutes ces duretés ?

— Oui, sire, répond Jocelin, je les souffrirai toutes s'il plaît à Dieu. »

A présent, toujours selon la règle, frère Humbert prononce l'exhortation soolennelle :

« Beau frère, vous ne devez requérir la compagnie de la maison ni pour posséder des richesses, ni pour avoir aise de votre corps, ni pour recueillir des honneurs. Mais vous la devez requérir pour trois choses : l'une pour abandonner le péché de ce monde; l'autre pour servir Notre-Seigneur; la troisième, pour être pauvre et pour faire pénitence en ce siècle, afin de sauver votre âme; et telle est l'intention pour laquelle vous la devez demander... »

Frère Humbert marque un silence, puis :

« ... Voulez-vous être, tous les jours de votre vie désormais, serf et esclave de la maison ?

— Oui, s'il plaît à Dieu, sire (Oïl, se Dieu plaist, sire).

— Voulez-vous renoncer à votre volonté, tous les jours de votre vie désormais, pour faire ce que votre commandeur vous commandera ?

— Sire, oui, s'il plaît à Dieu.

— Or veuillez sortir, et priez Notre-Seigneur qu'il vous conseille. »

Jocelin obéit et sort, guidé par l'un des frères. Les templiers, chevaliers et sergents, le chapelain se sont assis. Frère Humbert leur dit :

« Beaux seigneurs, vous voyez que ce prud'homme a grand désir de la compagnie de la maison, et déclare qu'il veut être, tous les jours de sa vie désormais, serf et esclave de la maison. J'ai déjà demandé s'il y avait l'un de vous qui sût une chose pour laquelle il n'aurait pas le droit d'être frère, car ensuite il serait trop tard. »

A nouveau personne ne dit rien. Toujours selon la

règle — et l'on voit les précautions prises! — frère Humbert réitère la question :

« Voulez-vous qu'on le fasse venir de par Dieu ?

— Faites-le venir de par Dieu, sire. »

L'un des templiers va rejoindre alors le postulant; il lui explique ce qu'il a à faire et quelle doit être son attitude devant le chapitre. Ensuite, il ramène Jocelin qui, derechef, s'agenouille devant frère Humbert, joint les mains et dit :

« Sire, je viens devant Dieu, devant vous et devant les frères, et vous prie et vous requiers, pour Dieu et pour Notre-Dame, que vous m'accueilliez en votre compagnie et aux bienfaits de la maison, spirituellement et temporellement, comme celui qui veut être serf et esclave de la maison désormais pour toujours. »

Frère Humbert lui demande, car tel est le cérémonial minutieusement décrit dans la règle :

« Etes-vous bien résolu, beau frère, à être serf et esclave de la maison, à laisser votre propre volonté pour toujours et faire celle d'autrui? Voulez-vous souffrir toutes les duretés qui sont d'usage en la maison et faire tous les commandements que l'on vous fera ?

— Sire, oui, s'il plaît à Dieu. »

Frère Humbert se lève et s'adressant à tout le chapitre :

« Beaux seigneurs, levez-vous et priez Notre-Seigneur et Madame sainte Marie, pour qu'il fasse ce qu'il doit faire. »

Les frères récitent alors un pater noster, et le chapelain l'oraison du Saint-Esprit. Après quoi, frère Humbert prend le livre des Evangiles. Et, suivant les instructions qu'il a reçues, Jocelin, toujours à genoux, prend à deux mains le gros livre ouvert et attend.

« Beau frère, demande Humbert, les prud'hommes qui vous ont parlé vous ont fait les demandes nécessaires mais, quoi que vous ayez répondu, ce sont paroles vaines et futiles, et nous ne pourrions avoir grand dommage des choses que vous nous auriez cachées. Mais voici les saintes paroles de Notre-Seigneur, et sur les choses que nous vous demanderons, répondez la vérité, car, si vous mentiez, vous seriez parjure et en pourriez perdre la maison[1], dont Dieu vous garde ! »

Nouveau silence, pesant pour Jocelin. Puis frère Humbert :

« Premièrement, nous vous demandons si vous avez épouse ou fiancée, qui pourrait vous demander par droit de sainte Eglise. Car, si vous mentiez et s'il advenait que demain ou plus tard elle vînt ici et pût prouver que vous fussiez son baron[2] et vous demander par le droit de sainte Eglise, l'on vous ôterait l'habit, on vous mettrait aux fers et l'on vous ferait travailler avec les esclaves. Et, quand on vous aurait fait assez de honte, on vous prendrait par le poing, on vous rendrait à la femme et vous auriez perdu la maison pour toujours. Beau frère, avez-vous femme ou fiancée ?

— Non, sire.

— Avez-vous été dans un autre ordre, prononcé vos vœux et votre promesse ? Car, si vous l'aviez fait et que cet ordre vous réclamât, on vous ôterait l'habit et l'on vous rendrait à cet ordre, mais avant on vous aurait infligé assez de honte et vous auriez perdu la maison pour toujours.

— Non, sire.

— N'avez-vous nulle dette, envers nul homme du monde, que vous ne puissiez payer par vous-même ou par vos amis sans l'aide de la maison, car l'on vous ôterait l'habit, on vous rendrait au créancier envers qui la maison ne serait pas responsable de la dette ?

— Non, sire.

— Etes-vous sain de votre corps, atteint d'aucune maladie apparente, car s'il était prouvé que vous en étiez atteint avant que vous ne fussiez notre frère,

1. Exclu de l'ordre.
2. Son mari ou son fiancé.

vous en pourriez perdre la maison, dont Dieu vous garde !

— Non, sire.

— Avez-vous promis ou donné à un homme du siècle ou à un frère du Temple, ou tout autre, de l'argent ou autre chose, pour qu'il vous aide à entrer dans cet ordre, car ce serait simonie et vous ne pourriez vous en disculper : si vous en étiez convaincu, vous en perdriez la compagnie de la maison ?

— Non, sire.

— Etes-vous fils de chevalier et de dame, de lignage de chevaliers et né de loyal mariage ?

— Je le suis.

— Etes-vous prêtre, diacre ou sous-diacre ? Si vous le cachiez, vous pourriez en perdre la maison.

— Non, sire.

— Etes-vous excommunié ?

— Non, sire. »

Humbert se tourne alors vers les frères du chapitre les plus vénérables et dit :

« Y a-t-il autre chose à demander ?

— Non, sire », répondent-ils.

Alors, s'adressant à Jocelin :

« Beau frère, à toutes les demandes que nous vous avons faites, veillez bien à nous avoir dit la vérité, car, si peu que vous en ayez menti, vous en pourriez perdre la maison, dont Dieu vous garde !... Or, beau frère, or entendez bien ce que nous vous disons. Promettez-vous à Dieu et à Notre-Dame, désormais et tous les jours de votre vie, d'obéir au maître ou quelque commandeur que vous aurez ?

— Oui, sire, s'il plaît à Dieu.

— Encore promettez-vous à Dieu et à Madame sainte Marie que, désormais tous les jours de votre vie, vous vivrez chastement de votre corps ?

— Oui, sire, s'il plaît à Dieu.

— Encore promettez-vous à Dieu et à notre Dame

sainte Marie que vous, désormais tous les jours de votre vie, vivrez sans avoir rien en propre?

— Oui, sire, s'il plaît à Dieu.

— Encore promettez-vous à Dieu et à Madame sainte Marie que vous, désormais, et tous les jours de votre vie, observerez les bons usages et les bonnes coutumes de notre maison, ceux qui y sont et ceux que le maître et les prud'hommes de la maison y mettront?

— Oui, s'il plaît à Dieu, sire.

— Encore promettez-vous à Dieu et à Madame sainte Marie que vous, désormais et tous les jours de votre vie, aiderez à conquérir, avec la force et le pouvoir que Dieu vous a donnés, la sainte terre de Jérusalem et que vous aiderez à garder et à sauver celles qui sont tenues par les chrétiens, selon votre pouvoir?

— Oui, sire, s'il plaît à Dieu.

— Encore promettez-vous à Dieu et à Madame sainte Marie que jamais vous ne quitterez cet ordre pour un plus fort ou plus faible, ni pour pire ni pour meilleur, à moins que vous ne le fassiez par congé du maître et du couvent qui en ont pouvoir?

— Oui, sire, s'il plaît à Dieu.

— Encore promettez-vous à Dieu et à Madame sainte Marie que jamais vous ne serez en lieu ou place où nul chrétien ne soit privé à tort et sans raison de ses biens, ni par votre force ni par votre conseil?

— Oui, sire, s'il plaît à Dieu. »

Frère Humbert se recueille un instant, car c'est l'entrée de Jocelin dans l'ordre qu'il va prononcer. Puis :

« Nous, de par Dieu et de par Notre-Dame sainte Marie, et par monseigneur saint Pierre de Rome, et de par notre père le pape et par tous les frères du Temple, nous vous admettons à tous les bienfaits de la maison, qui lui ont été faits depuis son commencement et qui lui seront faits jusqu'à sa fin, et vous, et votre père, et votre mère et tous ceux de votre lignage que vous voudrez accueillir. Et vous aussi, admettez-nous à tous les bienfaits que vous avez faits et que vous ferez. Et ainsi nous vous promettons du pain et de l'eau et la pauvre robe de la maison, et beaucoup de peine et de travail. »

Frère Humbert prend une cape templière, toute blanche et brodée de la croix rouge. Il s'approche de Jocelin, lui met la cape sur les épaules, et noue les cordons autour de son cou. Le frère chapelain entonne le psaume : « *Ecce quam bonum et quam jucundum habitare fratres...*

« Voici qu'il est bon, qu'il est agréable d'habiter tous ensemble en frères...

« C'est comme une huile précieuse répandue sur la tête et qui coule sur la barbe, la barbe d'Aaron, qui coule sur le bord de son vêtement.

« Comme la rosée de l'Hermon qui descend sur les montagnes de Sion.

« C'est là que le Seigneur accorde Sa bénédiction et la vie dans les siècles des siècles. »

Le chapelain dit ensuite l'oraison du Saint-Esprit et chacun des frères récite à haute voix son *pater noster*. Le président fait ensuite lever le nouveau frère et le baise sur la bouche, qui est le baiser d'hommage féodal. Le chapelain donne le même à Jocelin, désormais chevalier du Temple, et pour tous les jours de sa vie. Pâli par la fatigue et l'émotion, il prend sur lui pour contenir les larmes de gratitude qui voudraient jaillir de ses yeux. La campane sonne à petits coups. Ses tintements portent sur la neige l'annonce du sauvement d'une âme, ou de la venue d'un nouveau frère, ce qui est même chose pour ces moines-soldats.

Règle de vie

On entraîne Jocelin vers la salle du chapitre qui est attenante à la chapelle où la cérémonie vient de s'achever. Il n'a pas encore tout à fait l'allure d'un templier, car, au milieu des crânes tondus, il est le seul à porter les cheveux longs. Frère Humbert le fait asseoir devant lui :

« Beau frère, dit-il, Notre-Seigneur satisfait votre désir et vous a mis en aussi belle compagnie qui est la chevalerie du Temple, par quoi vous devez faire grand effort pour vous garder de ne jamais rien faire par laquelle il vous arriverait de la perdre. Dieu vous en garde ! Et nous vous dirons celles des choses dont nous nous souviendrons quant à l'exclusion de la maison et à la perte de l'habit... »

Frère Humbert réfléchit un instant. Il regarde, avec une affection non feinte, le nouveau frère, songeant peut-être, comme font la plupart, à sa propre réception. Il n'a pas encore achevé sa besogne. C'est à lui, président de chapitre, qu'il revient d'informer le nouveau venu de ses devoirs. Ainsi le veut et le rappelle la règle.

« Or beau frère, commence-t-il mais d'une voix plus familière, vous avez entendu les choses qui vous feraient perdre la maison, non pas toutes. Les autres, vous les apprendrez et vous en garderez, s'il plaît à Dieu ; vous les devez demander et vous en enquérir auprès des frères. Car il y a d'autres fautes établies, dont on ferait justice si vous les commettiez. C'est que vous ne devez jamais blesser un chrétien, ni le frapper par colère, du poing, de la paume ou du pied, ni le tirer par les cheveux, ni le renverser. Si vous le frappiez d'une pierre, d'un bâton ou d'une arme, desquels vous le pourriez blesser, votre habit serait à la merci des frères qui vous en priveraient ou vous le laisseraient à leur gré. Vous ne devez jamais jurer par Dieu ou Notre-Dame, saint ou sainte. Vous ne devez jamais prendre de femme à votre service, sauf si vous êtes malade et avec permission de votre commandeur. Jamais vous ne devez embrasser de femme, ni mère, ni sœur, ni parente que vous pourriez avoir. Jamais vous ne devez appeler un homme mésel ni punais, ni traître[1], ni d'autres vilaines paroles, car toutes vilaines paroles nous sont défendues, et nous devons pratiquer toute courtoisie et bien faire. »

C'est un manuel à l'usage des templiers que la règle, et frère Humbert en doit donner le résumé à Jocelin pour lui éviter les faux pas. Il y excelle, dit-on.

« Or, reprend-il, nous vous dirons comment vous devez dormir. Vous dormirez désormais en chemise, braie (caleçon) et chausses de linge, et ceint d'une petite ceinture. Vous aurez en votre lit trois draps, à savoir un sac pour mettre la paille et deux linceuls. Au lieu d'un des linceuls, vous pouvez avoir une étamine si le drapier vous la veut donner. Vous ne devez avoir que les vêtements que le drapier vous donnera; si vous en achetiez, il en serait fait grande justice. »

Après le lit et le vêtement, frère Humbert parle à présent de la table, et Jocelin l'écoute avec attention :

« Or nous vous dirons comment vous devez venir à la table, et venir à l'heure. Vous devez venir à tous les appels de la campane (la cloche). Quand la campane du manger sonne, vous devez venir à table, et attendre prêtres et clercs pour le bénédicité. Vous devez veiller s'il y a le pain et l'eau, dire le bénédicité, puis vous asseoir et trancher votre pain. Et, si vous vous trouvez en un lieu où vînt un prêtre, vous devez dire un pater noster en paix, avant de trancher votre pain; ensuite vous pouvez manger votre pain en paix et en silence, et les mets que Dieu vous aura donnés; vous ne pouvez rien demander, sauf le pain et l'eau, car on ne vous promet autre chose. Mais, si les frères mangent autre chose, vous pouvez demander privément. Si la viande et le poisson étaient crus, mauvais ou gâtés, vous pouvez demander qu'on les remplace : mais il est plus belle chose que votre compagnon le demande à votre place. S'il en a trop, il vous en donnera, et sinon vous devez vous tenir coi et patienter... »

1. « Lépreux, ni puant, ni traître. »

Frère Humbert arrive maintenant au principal, les devoirs religieux des templiers dont le double objectif était, on le rappelle, de combattre à la fois sur le plan spirituel et sur le plan temporel, contre l'esprit du mal, extérieur et intérieur, et contre les infidèles :

« Quand vous avez mangé, vous devez aller à la chapelle avec les prêtres, et rendre grâce à Notre-Seigneur en silence. Vous ne devez pas parler avant d'avoir dit un pater noster, et le prêtre les grâces. S'il n'y a point de prêtre dans la place ou à proximité, vous pouvez aller à votre service. Quand vous entendrez sonner none, vous devez aller à la chapelle : s'il y a un prêtre, vous devez l'écouter et, s'il n'y en a pas, dire treize pater, sept pour Notre-Dame et six pour le jour[1]. Vous devez aussi entendre les vêpres et, s'il n'y a pas de prêtres, dire dix-huit pater, neuf pour Notre-Dame et neuf pour le jour. Ensuite, vous devez aller souper. Quand vous entendez sonner la cloche de complies, vous venez prendre collation de ce que l'on apportera : le vin ou l'eau, selon la volonté du maître. Puis, si on vous donne un ordre, vous devez l'exécuter. Après quoi, vous entendrez complies s'il y a un prêtre et, sinon, vous direz quatorze pater, sept pour le jour et sept pour Notre-Dame. Puis vous irez vous coucher. Si vous voulez donner un ordre à vos serviteurs, vous le pouvez. Quand vous serez couché, vous devez dire un pater. Lorsque vous entendez sonner matines, vous devez vous lever et ouïr la messe et, s'il n'y a pas de prêtre, dire vingt-six patenôtres, treize pour Notre-Dame et treize pour le jour. Ensuite, trente patenôtres pour les morts et trente pour les vivants, avant de boire, si ce n'est de l'eau, et de manger. Et vous ne devez vous en dispenser, si ce n'est par maladie de corps, car nous les disons pour nos confrères, nos consœurs, nos bienfaiteurs et nos bienfaitrices, afin que Dieu les conduise à bonne fin et leur fasse vrai pardon. Quand vous aurez

---

1. Pour la fête du jour.

entendu matines s'il y a un prêtre, et dites par vous s'il n'y en a pas, vous pouvez vous recoucher. Quand vous entendez sonner prime, tierce et midi, l'un après l'autre, vous devez écouter le prêtre ou dire vous-même treize patenôtres, sept pour Notre-Dame et six pour le jour. A tierce, autant, et à midi, autant, avant de manger. »

Frère Humbert s'arrête un moment. La Règle exige qu'il énumère ainsi les obligations templières, à la suite les unes des autres, comme les grains d'un chapelet. Il entend bien que le nouveau frère ne peut tout retenir et qu'à maintes reprises on devra le reprendre, dans les premiers temps.

« Beau frère, reprend-il avec douceur, toutes les choses que je vous ai dites, vous les devez dire et faire. Mais vous devez dire d'abord les heures de Notre-Dame, et celles du jour, après, pour la raison que le Temple fut établi en l'honneur de Notre-Dame. Dites les heures de Notre-Dame, debout, et celles du jour, assis... »

Car si l'on répétait aux templiers que c'était « périlleuse chose que de regarder face de femme », on leur permettait d'aimer et de révérer Notre-Dame, Vierge et Mère de Jésus-Christ. Et cette révérence était bien la seule concession que l'ordre fît au besoin de tendresse inhérent à la créature. L'étoile et la patronne du Temple, c'était Elle !

« Et si vous êtes dans une maison du Temple dont un frère trépasse, ou si on vous héberge dans cette maison, vous devez dire cent patenôtres pour le repos de son âme, dans les sept jours qui suivent. Et si Dieu fait son commandement au maître (de l'ordre), vous devez dire deux cents patenôtres, en quelque lieu que vous soyez, et dans les sept jours. Et vous ne pouvez vous dispenser des patenôtres des morts, sauf maladie de corps... »

Frère Humbert en a terminé. Ne reste que la péroraison, elle aussi prévue par la règle, immuable depuis que fut couchée sur le papier la traduction française :

« Or, beau frère, nous vous avons dit les choses que vous devez faire et celles dont vous devez vous garder au risque de perdre la maison et de perdre l'habit, ou de vous exposer aux autres peines. Si nous ne vous avons pas tout dit, quoique nous le dussions, vous demanderez le surplus. Dieu vous laisse bien dire et bien faire. »

CHAPITRE V

VIE CONVENTUELLE

Chaque frère se doit efforcer de vivre honnêtement et de montrer bon exemple aux gens du siècle et d'autres couvents, en toutes choses, de telle manière que ceux qui le verront ne puissent rien noter de mal en son comportement, ni dans sa façon de chevaucher, ou d'aller, ou de boire, ou de manger, ou de regarder, dans aucun de ses actes ni aucune de ses œuvres.
Règle du Temple.

LES témoignages sont nombreux et concordants qui établissent la tenue impeccable des templiers, en paix comme en guerre. On n'eût point toléré qu'ils portassent des vêtements rapiécés ou poussiéreux, dans leur dédain du siècle. Leur goût de l'ordre et de la netteté s'y fût opposé, fondamentalement. Les étoffes de leurs vêtements devaient être sans nulle superfluité, mais solides, comme les murs de leurs commanderies. Les templiers ne pouvaient doubler leur manteau que de peaux d'agneau ou de mouton, non de ces riches et confortables fourrures qui étaient alors à la mode. Ils ne devaient pas rechercher l'agrément de leur corps (l'usance du corps), mais l'indispensable protection contre le froid, l'humidité ou le soleil. Mais aussi la commodité. « Que chacun, recommandait la règle, se puisse rapidement vêtir et dépouiller, chausser et déchausser » : recommandation particulièrement justifiée dans les commanderies et châteaux de Terre sainte où les alertes étaient fréquentes et nécessitaient une riposte immédiate et massive. Leur élégance — car enfin les témoins ne manquent pas, qui admirèrent leurs escadrons ! — tenait à l'uniformité de leurs habits, à la qualité de leurs armes, de leurs harnais et de leurs chevaux. Ils étaient tous semblables, ne portaient pour emblème que la croix vermeille, au milieu de troupes disparates, bigarrées et diversement armées. La discipline qui facilitait leurs évolutions, maintenant un ordre sans défaut dans leurs colonnes de marche, dans leurs rangées sur le champ de bataille, dans leurs charges même, ajoutait à cette impression de grandeur. On les trouvait beaux d'être tous pareils et, qu'ils fussent une centaine ou un millier, d'obéir comme un seul homme à la voix de leurs chefs. Bref, et aussi naïf ou peu crédible que cela puisse paraître de nos jours, on les admirait d'être une troupe en uniforme et disciplinée ! Ils avaient pourtant une autre élégance sous leur apparente rigueur, et que l'on souligne trop rarement : c'était une élégance intime, morale; en cette société encore mal civilisée, un peu sauvage et barbare, on leur recommandait avec insistance de s'exprimer courtoisement, bellement, suavement : entre eux, à leurs écuyers, aux sergents, aux domestiques et gens de métiers, aux gens du monde. Toute injure, toute grossièreté de langage, tout juron étaient non seulement déconseillés par la règle, mais punis. De même devait-on se retenir de donner des ordres trop durement. Cette obligation, cette recherche de courtoisie dans les rapports humains expliquent les expressions comme : « Beau frère... beaux doux frère », que l'on aura notées dans le cérémonial de réception. Mais il faut se dire qu'elles étaient de pratique courante, et quasi d'obligation en chaque moment de la journée, comme en chaque acte.

Le trousseau du chevalier

Dans les mêmes perspectives de rigueur, il incombait au frère drapier d'éviter que les envieux et les médisants puissent reprendre quelque chose dans les tenues du couvent. Il lui incombait de veiller scrupuleusement à ce qu'elles ne fussent ni trop longues, ni trop courtes, mais à la juste mesure de ceux qui devaient les porter. C'était sa façon, et la règle prend soin de le rappeler, de gagner le guerdon (la récompense) de Dieu. Car, et c'est ce qui frappe dans ce texte, on le répète, exact reflet de la vie intérieure du Temple, il n'était ni petite chose, ni petit emploi qui n'intéressent Dieu et ne tendent au salut de chacun. Et, dès lors, on comprend mieux la sorte de fierté que l'on éprouvait d'appartenir à l'ordre, fût-ce en qualité de maçon ou de berger.

Notre frère Jocelin, comme tous les nouveaux chevaliers, commença sa carrière templière en recevant son fourniment complet, de paix et de guerre. Même en terre de Brie, il serait amené à effectuer des patrouilles et des opérations de police, à convoyer des pèlerins ou des personnages importants, ou de grosses sommes à destination de Paris. Il pouvait aussi recevoir « son congé » de départ en Terre sainte. Ce trousseau — dont il était dorénavant responsable envers l'ordre, et dont il ne pouvait rien donner — se composait de deux chemises, de deux paires de chausses, de deux braies (caleçons), d'un justaucorps, d'une pelisse, d'une chape, de deux manteaux (un d'hiver doublé de mouton ou d'agneau, fourrures solides et peu coûteuses, et un d'été, d'étoffe plus légère), d'une tunique et d'une large ceinture de cuir (ou courroie!), un chapeau de bonnet (de coton) et un chapeau de feutre. Le justaucorps, ou jupel à girons[1] (c'est-à-dire à pans), était entaillé dans le bas, devant et derrière : pour la commodité des mouvements, car il descendait à peu près à mi-cuisse. La chape était un grand manteau droit, ou cape, enveloppant le corps et attaché au cou par un lacet ou une agrafe. La tunique se portait sur la chemise; elle avait des manches assez étroites.

A ces diverses pièces de vêtement s'ajoutaient deux serviettes : l'une pour la table, l'autre pour la toilette. Et la literie comprenant : une paillasse, deux draps, une étamine (ou couverture légère) et une carpette (ou grosse couverture pour les temps de froid). Cette carpette devait être blanche, ou noire, ou rayée de blanc et de noir, couleurs du Temple et du gonfanon bausant, car les templiers pouvaient s'en couvrir en chevauchant.

Le trousseau militaire comprenait : un haubert (qui était une cotte de mailles munie d'une coiffe enveloppant la tête et ne laissant à découvert que le visage), une paire de chausses de fer (jambières composées de mailles de fer et se laçant derrière la jambe), un chapeau de fer (qui était un casque à bords rabattus, emboîtant la nuque), un heaume (casque cylindrique, percé de trous pour la vue et la respiration, renforcé de deux lamelles rivées en forme de croix, et couvrant toute la tête), des souliers et une cotte d'armes. Le haubert était placé dans un sac de cuir, ou dans un treillis fait, lui aussi, de mailles de fer. Des souliers d'armes complétaient l'équipement.

L'armement consistait en une épée (droite, à deux tranchants et pointe arrondie), une lance (à hampe de frêne et fer conique), un écu (triangulaire, en bois matelassé à l'intérieur, recouvert de cuir à l'extérieur et parfois renforcé de lamelles cloutées).

Le nouveau chevalier recevait aussi trois couteaux :

---

1. Parfois entaillé en dents de scie, ou formant une pointe devant et derrière.

un couteau d'armes (ou poignard), un couteau à trancher le pain et la viande, et un canivet ou canif (petit couteau à lame droite). On lui donnait une couverture pour son cheval de guerre, mais il pouvait le couvrir avec la carpette.

Est-il besoin de signaler que la croix du Temple était cousue sur les manteaux, tuniques et cottes d'armes (sur celles-ci devant et derrière) et qu'on la devait broder sur toutes les pièces de lingerie en signe de reconnaissance ? Et de rappeler que la couleur blanche restait le privilège des chevaliers ?

Les frères sergents — sous-officiers du Temple — avaient des tuniques, des cottes et des manteaux noirs, avec une croix rouge. Leur armement était le même, sauf que, le plus souvent, leur haubert était de mailles plus légères et dépourvu de manicles (de manches) et que leurs chausses de fer n'avaient pas d'avant-pied, pour faciliter la marche.

On donnait enfin aux chevaliers — indépendamment du harnachement des trois chevaux auxquels ils avaient droit — un petit nécessaire de campagne composé d'un chaudron, d'un bassin pour mesurer l'orge, de trois paires de besaces dont deux seront portées par l'écuyer.

Tout cela n'est point, on le répète, vraiment « donné » au nouveau chevalier, mais prêté. Il en est comptable envers la maison. Il n'en peut disposer à sa guise, ni rien distraire à peine d'encourir un châtiment. La règle énumère ce qu'il peut, à la rigueur, donner : une garnache (un vêtement) qu'il aura porté au moins un an, une vieille cotte d'armes, un vieux jupel à girons, de vieilles braies ou de vieilles chemises, de vieux houseaux (alors souliers à tige ou demi-bottes), ou encore une lanterne de sa fabrication, un morceau de cuir ou une chevreline (probablement un manteau en peau de chèvre). Ces dons n'étaient pas destinés à n'importe qui, mais aux écuyers, lesquels n'appartenaient pas réellement au Temple, mais servaient à terme. Quand un écuyer quittait le service d'un chevalier, celui-ci, s'il était satisfait de lui, avait le droit de lui donner la garnache portée depuis deux ans.

Pour en finir avec l'équipement du chevalier, ajoutons qu'il n'avait le droit que de veiller à son parfait entretien. Il ne pouvait en rien le modifier : pas même raccourcir ses étrivières, ni sa ceinture, ni le baudrier qui retenait son épée, ni la cordelette coulissant dans ses braies pour les retenir autour de la taille, sauf permission de son commandeur.

Les repas

Le temps n'était plus où les Pauvres Chevaliers du Christ n'avaient qu'une écuelle pour deux, par humilité. On avait renoncé à cet usage qui, sans aucun doute, devait présenter de sérieux inconvénients. Chaque chevalier avait son écuelle individuelle en « cor », spécifie la règle, c'est-à-dire en corne ou en cœur de chêne. Il disposait de deux hanaps (un usuel, et un d'apparat : c'étaient des coupes aux bords évasés) et d'une cuiller. Comme on sait, la fourchette n'était pas encore inventée.

Les chevaliers, les sergents et les écuyers mangeaient séparément. Il y avait donc deux services que l'on appelait des « couvents », et, dans les grandes commanderies, un troisième service, en raison du grand nombre de frères et de la diversité de leurs occupations. Lorsque « la campane de manger » sonnait, tous les frères devaient se rendre au réfectoire, selon le service auquel ils appartenaient, à l'exception du frère maréchal s'il était en train de ferrer un cheval ou du frère fournier s'il était à son four, en train de pétrir sa pâte ou de cuire son pain.

Mais tentons de nous regainer dans la peau de Jocelin, le nouveau venu, le nouveau vêtu du manteau blanc, et de prendre avec lui ce premier repas dans la commanderie de Coulommiers. La place d'honneur, celle qui revient habituellement au commandeur (ou précepteur) de la maison, est occupée par le frère Humbert de Peyraud. Les premiers arrivés et les plus anciens sont le dos au mur et les suivants leur font face. Le chapelain fait la bénédiction, puis tous les frères, debout, récitent un pater noster. Après quoi seulement, ils peuvent s'asseoir. La table est couverte de nappes blanches. Chacun a devant soi son hanap, son écuelle, sa cuiller, son couteau et son morceau de pain qui est aujourd'hui de beau froment, puisque c'est fête dans la maison et que l'on reçoit un hôte de marque. Un serviteur verse le vin en silence. Nul n'a le droit de parler et l'on n'entend que le pétillement des flammes et le chuintement des bûches dans la cheminée. L'un des frères s'assied dans une petite chaire : c'est son tour de faire la lecture prévue par la règle. Il ouvre les Saintes Ecritures et commence. Les hommes blancs coupent leur pain, puisent dans les larges plats d'étain que présentent les serviteurs. Ils contiennent des viandes différentes, avec des légumes. Mais ceux qui prennent du bœuf ne peuvent prendre du mouton. Il n'y a sur la table nul flacon. Ce sont les serviteurs qui servent à boire, soit de l'eau, soit du vin, soit du vin trempé, selon les signes de convention que leur adressent les frères. On ne peut en effet rien demander à voix haute, ou même basse. Jocelin apprendra peu à peu les conventions : pour demander du pain, ou d'une autre viande, ou ce dont il aura besoin. Personne ne peut se lever de table avant le commandeur, sauf s'il est pris d'un saignement de nez ou s'il survient quelque événement extérieur assez urgent et important pour requérir l'intervention rapide des frères : en Terre sainte, le cas est fréquent, il suffit que l'on crie l'alerte.

Près du commandeur, un frère mange par terre, accroupi sur les dalles, pénitence formellement prévue par la règle. C'est la raison pour laquelle le commandeur a devant lui une écuelle abondamment garnie; il est censé faire la charité d'un peu de nourriture au frère en pénitence. Dans les grandes commanderies, la règle prescrit de lui servir quatre parts pour ce motif.

Frère Jocelin saura bientôt que l'on doit trancher sa viande proprement et nettement et de même le pain, le fromage ou le poisson, car les reliefs des repas vont aux pauvres. Et c'est l'honneur du Temple que de les traiter avec dignité. Il connaîtra aussi les jours de jeûne et de liesse, ceux où l'on sert du poisson, ceux où l'on ne donne qu'un plat avec quelques herbes ou un potage (comme le vendredi). Nulle superfluité dans ce régime, cependant substantiel, en tout cas suffisant; nulle recherche gastronomique. La gourmandise, la gloutonnerie et l'intempérance sont sanctionnées. Cependant la nourriture des chevaliers est, en principe, plus abondante que celle de la maisnée (la domesticité de la maison). Lorsqu'ils ont trois plats, les serviteurs n'en ont que deux. Mais ils ne peuvent être tenus aux mêmes jeûnes. D'ailleurs la qualité de leur nourriture est semblable, puisqu'il est indiqué que les chevaliers n'aimant pas les viandes qu'on leur propose peuvent demander celles des serviteurs. Il va sans dire que, dans les commanderies d'Occident, on consommait les produits du domaine : œufs et volailles de la basse-cour, moutons, bœufs et porcs du cheptel, fromages fabriqués sur place, légumes et herbes provenant du jardin, poissons pêchés dans les étangs que l'on possédait, vins provenant des vignes que l'on avait plantées, pain tiré du froment que donnaient les moulins templiers à partir du grain que l'on avait récolté. Comme partout à cette époque, le lard que l'on conservait dans de grands saloirs (ou charniers) formait la base de la nourriture. On achetait de la viande de boucherie un peu meilleure, un vin plus fin, pour les grandes fêtes, comme Noël ou Pâques, selon le degré d'aisance des maisons ou la générosité des commandeurs. Ce que l'on ne consommait pas, on le vendait pour faire de l'argent au profit des templeries combattantes de Terre sainte. On comprend donc que le gaspillage n'était pas de mise, au surplus contraire à l'esprit de mesure observé par l'ordre. Enfin, la nécessité de nourrir les pauvres n'était pas oubliée; elle incitait les templiers à se restreindre par esprit de charité, non pourtant jusqu'à se priver exagérément. Précédé du bénédicité et de la récitation à voix haute du *pater noster*, le repas, pris en silence et sans hâte, acquérait une sorte de caractère sacré; il devenait un don de Dieu. Les frères, se levant au signe du commandeur, s'en allaient ensuite à la chapelle, bellement et par deux, rendre grâces. A la suite de quoi, ils avaient le droit de parler, à condition de ne pas échanger de futiles et « huisouses » paroles.

L'infirmerie

Ce n'était certes pas une plaisanterie que d'entrer au Temple. La brève esquisse que l'on a tracée du réfectoire peuplé d'effigies silencieuses donne une bien faible idée de la discipline des maisons. Il n'y avait qu'un endroit où celle-ci se relâchait passagèrement et par nécessité, et c'était l'infirmerie. Car il ne faudrait pas croire, encore une fois, que les Templiers voulussent l'émaciement du corps et sa destruction progressive pour terrasser en eux la tentation et accéder plus vite au paradis. Ces hommes de fer cherchaient au contraire un juste et difficile équilibre entre la santé de l'esprit et celle du corps. Il était non moins indispensable à leurs yeux de subjuguer les tentations personnelles, que de garder une musculature assez forte et assez souple pour combattre efficacement. D'où le soin que l'on apportait à éviter les maladies par un régime alimentaire riche et varié, à isoler les frères malades et à leur donner les soins nécessaires. D'où l'interdiction de certaines initiatives en ce domaine : on ne pouvait sans autorisation du commandeur ni se baigner ni se faire saigner, cela pour éviter les excès.

Le frère infirmier avait des connaissances médicales suffisantes pour soigner les maladies ordinaires, en particulier les fièvres rapportées d'Orient, mais aussi engendrées par la proximité des marécages et des étangs : les rhumes et les dévoiements d'entrailles. Cependant, pour les cas graves et avec l'accord du commandeur, l'infirmier prenait le conseil du « miège fésicien » (du médecin). Il ne pouvait, sans l'autorisation du commandeur, tondre les barbes, inciser les plaies graves ou faire prendre médecine. Il est à croire que les templiers tenaient des Arabes, dont on sait les progrès qu'ils firent accomplir à la thérapeutique, divers remèdes tirés notamment des plantes.

Le frère infirmier avait en outre une situation privilégiée dans la maison. Les responsables de la cave (bouteillerie), de la cuisine, du four (boulangerie), de la porcherie, du jardin (potager) et de la galinerie (basse-cour) devaient exécuter les ordres particuliers qu'il leur donnait pour les soins des malades. Le commandeur était même astreint de lui donner l'argent nécessaire à l'achat des produits manquants. Enfin le frère infirmier était tenu de veiller scrupuleusement à l'application du règlement propre à son service. Cependant il devait le faire avec courtoisie et discrétion. Par exemple, il demandait aux frères malades quelle viande ils avaient envie de manger. Mais ce règlement mérite une attention spéciale, en ce qu'il traduit assez bien l'atmosphère des templeries.

Les malades pouvaient manger de la viande tous les jours de la semaine, sauf le vendredi, alors que les bien-portants n'en consommaient que trois fois par semaine, et le reste du temps avaient des légumes et du poisson, excellente hygiène. Les frères vieux ou incomplètement guéris pouvaient aller à la table de l'infirmerie. Ceux qui se faisaient saigner, ayant besoin de reconstituant, pouvaient y prendre trois repas, non davantage.

Il était interdit de servir à l'infirmerie des lentilles, des fèves, du bœuf, de la truie, de la chèvre, du bouc, du veau, du mouton, des anguilles, du fromage. Restaient donc des légumes frais, du poisson, de la volaille, ce qui n'était pas une si mauvaise diététique.

Lorsqu'un frère, par suite de maladie ou de malaise, se sent incapable d'entendre les heures et de se rendre à la chapelle, il doit se présenter à l'infirmerie. Mais, parce que le souci de l'âme passe celui du corps, la règle lui conseillait de se confesser et de communier préalablement. Un malade a licence d'être servi trois fois au lit, s'il le veut. A celui qui est atteint de dysenterie (menoison), de laide blessure (naffre), de vomissements (de geter par la goule), de frénésie (épilepsie, crise de nerfs), ou de tout autre mal susceptible d'incommoder ses voisins, on donne une chambre particulière. Lorsque les frères peuvent quitter l'infirmerie, leur premier devoir est d'entendre la messe pour remercier Jésus-Christ de leur guérison; on tolère qu'ils prennent encore trois repas à l'hôpital avant de regagner leur place au réfectoire et de se remettre au régime du couvent.

S'il advient qu'un frère devienne lépreux, il ne peut rester dans sa templerie. S'il ne demande spontanément à partir, les prudhommes de la maison doivent l'admonester et, s'il résiste, on lui signifie son congé et on lui donne l'habit de saint Ladre, autrement dit le triste uniforme des lépreux et la crécelle. Cependant, si le frère refuse absolument de partir, on doit lui attribuer un logement écarté et continuer à le nourrir.

Emploi du temps

Indépendamment des occupations « civiles » que se partagent les templiers suivant les ordres de leur commandeur, et du service « militaire , leur existence est celle des moines, et leurs journées, comme leurs obligations, se divisent en heures canoniques. La règle souligne, à maintes reprises, la primauté absolue de la religion. « Chaque frère du Temple, énonce-t-elle, doit savoir qu'il n'est rien tant tenu que de servir Dieu, et à cela doit mettre toute son application et son entendement et spécialement à ouïr le saint service; car à cela nul ne doit faillir, ni gauchir, autant qu'il le pourra. Car, ainsi comme dit notre règle, si nous aimons Dieu, nous devons volontiers ouïr et comprendre les saintes paroles. »

La première obligation consiste à honorer le lieu du service divin, c'est-à-dire entretenir soigneusement la chapelle templière et s'y comporter dignement. La tenue négligée, ou sommaire, y est interdite. Il faut, au moins quand on chante les heures, se présenter en manteau fermé au col par l'agrafe ou le lacet.

Quand sonne campane de matines (cloche de matines), à quatre heures du matin en hiver et deux heures en été, le templier se lève, se chausse, endosse son mateau et se rend à la chapelle. Il peut rester en costume de nuit (chemise, braies et petite ceinture), mais doit avoir ses chausses et ses souliers, et surtout son manteau lacé. Certains portent une coiffe. On ne peut se dispenser des heures de matines, sauf occupation majeure ou maladie, et avec l'autorisation du commandeur. A la chapelle, les frères écoutent chanter matines « bellement et en paix » et, bien sûr, en silence. Ils doivent dire, ou entendre, treize *pater* pour Notre-Dame et treize pour le saint du jour; mieux vaut cependant les dire soi-même.

Quand ils sortent de la chapelle, après matines,

c'est-à-dire le plus souvent dans l'obscurité, les frères doivent aller à l'écurie voir les chevaux et donner, s'il y a lieu, les ordres nécessaires aux écuyers, non en gourmandant ceux-ci, mais en leur parlant « bellement ». Ensuite ils peuvent se recoucher mais non se rendormir avant d'avoir récité un *pater* : afin que Dieu leur pardonne s'ils ont commis quelque menue faute ou rompu la règle du silence.

Lorsque sonne la cloche de prime, chacun se lève en hâte, s'habille, se chausse et se dirige vers la chapelle. C'est le moment où l'on célèbre la messe qui doit être dévotieusement entendue et dans son entier.

Si deux messes sont données à la suite dans la matinée, il est conseillé aux frères de les suivre, ce qui ne les dispense pas toutefois d'entendre les heures de tierce et de midi. Il leur est, en tout cas, formellement défendu de prendre quelque nourriture que ce soit, avant d'avoir entendu ou récité les soixante *pater* qui sont d'obligation, trente pour les morts et trente pour les vivants. C'est ce « capital » de prières que l'on offre en partage au postulant : le trésor spirituel de l'ordre si l'on préfère.

Avant les repas pris en commun, on récite le bénédicité et un *pater*. Les grâces à la chapelle, au sortir du réfectoire, puis les vêpres, les heures de none et complies.

Chacune des heures s'accompagne de treize ou de dix-huit *pater*, ceux dédiés à la Vierge écoutés ou récités debout, et assis ceux qui reviennent au saint du jour. Mais les prières pour Notre-Dame commencent et achèvent la journée du templier : « Parce que Notre-Dame fut le commencement de notre religion; en elle et pour son honnour, s'il plaît à Dieu, seront la fin de nos vies et la fin de notre religion, quand il plaira à Dieu que ce soit. » Etranges et douloureuses paroles quand on pense à ce que fut la fin cruelle du Temple en 1307.

Sauf à Vêpres et la veille de l'Epiphanie, messe et

prières sont jalonnées de génuflexions par esprit de pénitence; mais les frères vieux ou malades en sont évidemment dispensés. La règle veut que l'on dompte les corps, non pas qu'on les épuise. Au même souci répond l'interdiction de rester debout pendant la durée entière des offices.

Ce sont là les dispositions ordinaires régissant la vie religieuse des frères. Certaines solennités s'accompagnent cependant d'obligations spéciales. Par exemple, le premier mercredi de Carême, lorsque le chapelain commence la litanie qui succède aux sept psaumes de la pénitence, les templiers s'agenouillent « sur leur pis » (se prosternent). Le mercredi des Cendres, le chapelain leur jette des cendres sur la tête, « en ressemblance que nous sommes cendres et en cendres retournerons ». Le Jeudi saint l'aumônier doit apprêter treize pauvres auxquels les frères sont tenus de laver les pieds (à l'eau chaude). Mais il est recommandé de choisir des pauvres ayant les jambes et les pieds exempts de « laide maladie », car les frères les doivent baiser avant le lavement, puis essuyer avec soin, « car, par aventure, pourrait faire mal au cœur d'un frère... » Après cette cérémonie qui se déroule en présence du chapelain en surplis et portant la croix, le commandeur donne à chacun des pauvres deux pains, deux deniers et une paire de souliers neufs. Le jour du Vendredi saint, les frères adorent la croix en grande dévotion et pieds nus; ils jeûnent au pain et à l'eau et mangent sur une table sans nappe : mais la règle prescrit de laver soigneusement la table avant d'y poser le pain.

Les jeûnes sont d'obligation tous les vendredis, de la Toussaint à Pâques, sauf le vendredi de Noël. Il y a procession le jour de Noël, de l'Apparition, de la Chandeleur, des Rameaux (rainpalme), de Pâques, de l'Ascension, de la Pentecôte, de l'Assomption et de la Nativité de Notre-Dame, de la Toussaint et du saint auquel est dédiée la chapelle de la commanderie.

Le chapelain

Les frères chapelains ne servent plus « à miséricorde », c'est-à-dire à terme, comme autrefois. Ils font profession devant le chapitre, comme les autres. Le cérémonial de leur réception ne diffère que par les questions qui leur sont posées et par l'engagement qu'ils souscrivent. Ils portent robe close et noire, manteau noir et, par honneur envers leur état de représentants de Dieu, des gants. Leurs vêtements sont coupés dans la meilleure étoffe que possède la maison, toujours par révérence envers le seigneur. Le chapelain est le premier après le commandeur à la table du réfectoire. Mais, encore une fois, ces manifestations de respect ne s'adressent pas à l'homme, mais au prêtre. S'il commet une faute, il doit en demander pardon, autrement dit s'en excuser, devant le chapitre, ainsi que les autres templiers, en se découvrant et en se mettant à genoux. S'il est mis en pénitence et condamné à la perte temporaire de l'habit, au lieu de manger à terre, on lui permet cependant de prendre son repas à la table des serviteurs, sans nappe. Alors que les autres frères punis sont livrés à des travaux domestiques, il lit son psautier. S'il est prouvé qu'il est de mauvaise vie, qu'il occasionne un scandale dommageable à la maison, ou que, par mauvais caractère ou perfidie, il sème la discorde dans le couvent, on peut le mettre aux fers, ou en prison perpétuelle, ou le chasser du Temple à tout jamais et plus aisément qu'on ne ferait d'un simple frère. Car tels sont en effet les pouvoirs qui résultent de la bulle *Omne datum optimum.*.

Les frères doivent exclusivement se confesser aux chapelains templiers, sauf cas de force majeure et avec l'assentiment de leurs commandeurs. Les chapelains absolvent les fautes au nom du pape, seule autorité dont ils relèvent, de même que tous les membres de l'ordre. Il est pourtant des fautes graves que le pape s'est réservé le droit de juger : le meurtre d'un chrétien (homme ou femme), l'agression d'un frère accompagnée d'effusion de sang ou d'un prêtre, l'entrée dans l'ordre par simonie, l'entrée au Temple d'un moine appartenant à un autre ordre et ayant dissimulé cette appartenance. Toutefois, comme le Souverain Pontife réside à Rome, l'absolution de ces fautes peut être demandée à l'archevêque du diocèse.

Ces dispositions appellent une remarque. Les accusateurs du Temple ont dit et redit, ainsi que nombre de commentateurs, que les templiers se confessaient mutuellement de leurs fautes et, surtout, que les présidents des chapitres s'arrogeaient, hérétiquement, le pouvoir de remettre les péchés, et cela pour que la gravité de ceux-ci ne filtre pas dans le public. Mais alors, pourquoi des *Retraits* aussi détaillés touchant aux chapelains, à leurs droits et devoirs, aux sanctions qui les frappaient en cas de défaillance ? Et pourquoi cette réserve relativement aux fautes les plus graves ? De même verra-t-on, dans le chapitre suivant, ce qu'il en était des confessions réciproques des templiers, et comment fonctionnaient leurs conseils de discipline. L'erreur, volontaire de la part de Philippe le Bel et de ses juges, vient de la confusion que l'on fait entre les fautes contre la discipline templière qui sont « temporelles », et les péchés qui sont de nature « spirituelle ». Les premières étaient punies par le chapitre, en application de la règle. Les seconds relevaient du chapelain en vertu des pouvoirs qu'il tenait du pape. La distinction est d'une importance capitale.

Fin de la journée

Quand le jour s'en va et que vient la nuit, selon la règle, la cloche sonne complies. Les frères prennent en commun une collation qui est leur dîner et qui est laissée à la discrétion du commandeur. Il peut faire donner de l'eau ou du vin trempé, mais en quantité raisonnable. Et la règle de rappeler la parole de Salomon : « *Quia vinum facit apostare sapientes* », qu'elle traduit ainsi : « C'est-à-dire que le vin fait tourner en bête les sages. » La collation prise, les templiers se rendent à la chapelle, entendent ou récitent complies. Après quoi ils s'en vont au dortoir, sans parler entre eux, sauf nécessité. S'ils l'estiment nécessaire, ils peuvent aller voir les chevaux et donner des ordres à leurs écuyers. La surveillance des chevaux tient une grande place dans leurs occupations. Les prudhommes de la maison et les vieux chevaliers parlent avec le commandeur, pour raisons de service. Ils ne disent que l'indispensable, car trop parler est un péché; paroles trop vives ou « huisouses », rires, sont défendus.

Les frères se dévêtent dans le même silence. Ils suspendent avec soin leur manteau, qu'ils doivent respecter et honorer en raison de la croix vermeille qui y est cousue. Pour la nuit, ils gardent leur chemise, leurs braies et leurs chausses et, autour de la taille, une ceinture mince : cette cordelette qui a fait couler beaucoup d'encre et dont on osa prétendre qu'on lui faisait toucher une idole païenne (Baphomet) avant de la donner aux templiers !

Un à un, ils se couchent dans leurs pauvres lits, tous semblables, composés d'une paillasse, de deux linceuls et d'une carpette rayée de blanc et de noir. Jusqu'à ce que sonne la cloche de prime, ils doivent rester muets, sauf par absolue nécessité. Avant de s'endormir, ils récitent toutefois un dernier *pater noster*, afin que Dieu leur donne son pardon. La chandelle, qui doit rester allumée jusqu'au point du jour, éclaire ces formes blanches, ou plutôt cette rangée de gisants.

CHAPITRE VI

LA DISCIPLINE

CE n'était pas en quelques jours que l'on apprenait à être templier. Les devoirs quotidiens, dont on a donné l'ébauche et le résumé succinct au chapitre précédent, s'assortissaient d'interdictions nombreuses, subtiles et nuancées, qui étaient enseignées par le commandeur et par les chevaliers anciens, au fil des jours. Parmi les frères il y avait beaucoup d'hommes jeunes, au sang vif, au caractère impétueux, sinon violent. Il fallait les plier à la stricte discipline de l'ordre, non point en brisant leur personnalité, mais en l'assouplissant. Non point extirper leur instinct combatif, mais le canaliser afin qu'il servît avec plus d'efficacité la cause de l'ordre et de l'Eglise. Ce ne devait pas être toujours facile et plus d'un débutant ruait sous le harnais avant de comprendre les raisons de cette discipline étroite. Sans doute parlait-on courtoisement à ces jeunes gens, le commandeur leur donnait-il ses ordres « de par Dieu », mais on ne leur passait rien. Le plus dur pour eux était de renoncer à leurs habitudes et à cette liberté d'initiative dont, avant leur entrée au Temple, ils ignoraient le prix. L'oisiveté, les distractions, les conversations plaisantes étaient sévèrement proscrites. Il était défendu de jouer aux échecs, au trictrac, jeux que tous avaient appris dans leurs familles et qu'ils croyaient innocents, mais que la règle écartait, y voyant des occasions de disputes. Elle ne tolérait que les jeux de marelles (sorte de jacquet), de chevilles et de forbot (jeux dont on ne sait rien), sans pouvoir risquer le moindre gage, mais il était plus belle chose de lire ou de réciter les heures, ou de s'adonner à quelque travail utile à la collectivité. Défendu – à ces cavaliers ! – de courir une ravine (de faire un galop) sans autorisation, seul ou accompagné d'un camarade. Défendu de prendre ses armes sans autorisation ! Défendu de jeter une lance à terre, quand on bohorde (exercice de combat, sorte de joute ou de tournoi), car il faut éviter tout ce qui peut porter dommage à la maison. Défendu de « maréchaucer » soi-même son cheval (le ferrer ou le panser), car c'est la besogne du maréchal-ferrant et des écuyers. Défendu de donner quoi que ce soit qui ait une valeur, sauf une vieille lanterne, une masse en bois ou des pieux de tente. Défendu de sortir de la commanderie sans congé, d'aller en ville, ou dans une ferme ou dans un manoir ! Il n'est permis d'entrer chez un particulier qu'en compagnie du commandeur ou du bailli. Défendu de boire du vin et de manger à une lieue de la maison, sauf à la table d'un évêque, d'un homme d'Eglise ou des frères hospitaliers. Défendu de s'approprier ce que l'on trouve : il faut le porter à la chapelle ou le rendre au frère qui l'a perdu. Défendu de donner à ses chevaux l'orge et le fourrage que l'on a pu se procurer hors ration, au détriment des autres bêtes. Défendu de peindre la hampe de sa lance ou son casque, de fourbir sans permission son épée ou son couteau d'armes. Défendu de jurer ou d'être grossier. Défendu de garder de l'argent par-devers soi, hormis par ordre du commandeur : cette interdiction est si rigoureuse que, si l'on trouve quelques sous dans les poches d'un frère mort, il est exclu à titre posthume et ne peut être inhumé dans un cimetière du Temple. Défendu aussi de détenir par-devers soi la règle de l'ordre ou les *Retraits*, en tout ou partie, sauf autorisation : non par goût du secret ou manie de la dissimulation, mais parce qu'il advint que des écuyers prirent connaissance de la règle et la divulguèrent parmi « les gens du siècle »; or il est bien certain que « les duretés » qu'elle contenait n'étaient pas de nature à attirer les volontaires! Au surplus, le secret de la règle est commun à tous les couvents. Au Temple, il fallait être commandeur d'une baillie pour en détenir un exemplaire, mais il est probable que les commandeurs des maisons de quelque importance en possédaient au moins des extraits, ne fût-ce que pour les réceptions des postulants. Défense aussi de se mettre en courroux, de commettre une mauvaise action, ou de dire qu'on la commettra, de se montrer satisfait de soi, de céder à la vanité ou à l'orgueil.

Les chapitres hebdomadaires

Ces multiples interdictions, aggravées, comme nous le verrons, quand on faisait route ou quand on était sur pied de guerre, seraient restées lettre morte, si la conduite journalière du templier n'avait été étroitement surveillée et si ses fautes n'avaient pas été corrigées. Cette surveillance de tous les instants, sans doute le commandeur et les prudhommes de la maison l'exerçaient-ils, mais ils ne pouvaient tout voir. Elle était donc assumée par les frères eux-mêmes, non par mesquinerie ou par esprit de délation, mais dans le seul but de s'améliorer ensemble et de gagner, ensemble, le paradis. Quand un frère commettait quelque manquement, les autres (un ou deux, trois au maximum) devaient l'admonester « bellement », mais fermement, lui montrer sa faute et l'exhorter à n'y plus retomber. Si le coupable était docile, s'il avait acquis assez d'humilité, il se corrigeait et, sinon, l'on était obligé de le dénoncer. Cette pratique ferait scandale aujourd'hui; elle était courante au Moyen Age, et ne déshonorait nullement son auteur; c'était même le contraire, elle l'honorait, en ce qu'elle témoignait d'un ardent désir de sauver son prochain. Il ne faut pas oublier que le grand dessein, le but final des hommes de cette époque, dans leurs actes comme dans leurs pensées, restait le paradis; d'où que l'on pourchassait le mal partout où on le rencontrait, du moins s'y efforçait-on. Ce qui explique l'attitude des templiers, les uns envers les autres, mais aussi envers leur propre personne, car tout fautif était tenu par la règle de s'accuser publiquement de sa faute et d'en réclamer lui-même le châtiment. Les chapitres hebdomadaires furent institués à cet effet. Ils avaient lieu, non seulement dans les commanderies importantes ou moyennes, mais aussi en toute maison où se trouvaient plusieurs frères chevaliers et sergents. La règle en décrit le fonctionnement avec un grand luxe de détails.

Le jour de la réunion, chaque frère entre dans la salle du chapitre. Il se signe, au nom du Père, du Fils et du Saint-Esprit. Il se découvre, sauf s'il est chauve et craint le froid, auquel cas il peut conserver sa coiffe et le bonnet qui la recouvre réglementairement. Il récite ensuite, debout, un *pater noster*, puis va s'asseoir à la place qui lui revient, selon qu'il est chevalier ou sergent, ancien, prud'homme ou débutant. Lorsque les frères sont réunis, celui qui préside le chapitre (le commandeur ou celui qui le remplace, ou un dignitaire de l'ordre en visite ou en inspection) commence ainsi :

« Beaux seigneurs frères, levez-vous et priez Notre-Seigneur que Sa sainte grâce vienne parmi nous. »

Et chacun, à cette demande du président, récite un *pater noster*. On verrouille alors les portes, si on ne l'a déjà fait car personne ne doit entendre ni savoir ce qui va se dire. Précaution justifiée : il serait effectivement gênant, voire dommageable, que les écuyers ou les serviteurs, qui sont des laïcs, aient connaissance des fautes commises par les frères et des admonestations qu'ils reçoivent du président, voire des dénonciations et reproches qu'ils s'infligent mutuellement, non toujours fondés, parfois injustes, car enfin ces moines-soldats ne sont pas toujours des anges !

Le président est tenu d'ouvrir le chapitre par un sermon. Il le fait de son mieux, selon ses dons d'improvisation. Il est à croire que, s'agissant d'un vieux soldat, son éloquence est le plus souvent médiocre et qu'il se contente d'inviter les frères à s'accuser de leurs fautes. A partir de ce moment, aucun d'eux ne peut quitter sa place sans autorisation. Chacun, avant d'entrer dans la salle du chapitre, a pris soin de se remémorer ses manquements. Quand il a été admonesté par ses compagnons, dans les jours qui précèdent, il doit également et d'abord s'accuser de cette faute.

Il se lève, quitte sa place, salue le président et fait devant lui plusieurs génuflexions. Son attitude doit être dès lors analogue à celle que l'on observe à confesse, humble et soumise.

« Beau sire, dit-il, je demande pardon (je crie merci) à Dieu et à Notre-Dame, à vous et aux frères de telle faute... »

Il ne suffit pas de nommer ni d'énumérer les fautes que l'on a à se reprocher, il faut les « raconter », c'est-à-dire en indiquer les circonstances exactes, la gravité et la fréquence, sans honte, sans crainte du châtiment, en toute vérité. Si l'on est pris en flagrant délit de mensonge, le châtiment sera plus lourd.

Les aveux terminés, le président demande au frère s'il n'a rien oublié, puis l'invite à quitter la salle du chapitre et à se retirer en tel lieu d'où il ne puisse entendre les propos qui seront échangés. Quand le frère est sorti et que la porte a été refermée, le président rappelle les fautes qui viennent d'être avouées, les commente sobrement et clairement, et demande à chacun des frères son avis sur le châtiment à infliger, en commençant par les prud'hommes et les anciens. Une majorité se dégage, dont le président doit obligatoirement tenir compte pour prendre sa décision. On rappelle alors le coupable. Le président lui montre la gravité de sa ou de ses fautes, l'exhorte à ne plus s'en rendre coupable, et prononce le verdict.

Les fautes templières sont des plus diverses : avoir mal obéi aux ordres du commandeur, été quelque peu distrait pendant la récitation des heures, ne pas avoir dit le nombre de patenôtres prévu par le règlement, ou avoir courroucé déraisonnablement un frère, ou s'être soi-même mis en courroux, etc. Il est donc fréquent que, par indulgence envers soi-même ou simplement par oubli, un frère ne songe pas à s'en accuser. Cependant la faute a pu être remarquée. De même certains frères, encore travaillés d'orgueil, refusent-ils de se reconnaître fautifs, ou dédaignent-ils les admonestations qu'ils ont pu recevoir au cours de la semaine, soit parce que le reproche leur a paru injustifié, soit qu'ils s'estiment d'une essence supérieure. Dans ce cas, les frères ont le droit, et le devoir, d'intervenir, mais selon une procédure nettement définie par la règle, c'est-à-dire, ne craignons pas de le répéter, par un ensemble de coutumes ayant fait leurs preuves. On ne peut accuser un frère hors sa présence. L'accusation doit être formulée sans passion; elle doit être nette et circonstanciée. L'ordre récuse les aveux incomplets, comme les accusations suggérées. Il faut être sûr de son fait et parler en face, à haute voix, sans se soucier d'humilier un compagnon pour lequel on peut avoir de l'amitié, voire du respect. On doit agir pour son bien, c'est-à-dire pour le salut de son âme et par seule charité, non pour perdre un frère ou le rabaisser. On demande d'abord au commandeur :

« Beau Sire (ou Commandeur), donnez-moi congé de parler à tel frère. »

L'autorisation accordée, l'accusateur se lève, appelle le frère qu'il veut « reprendre », lequel doit se mettre debout, se découvrir et saluer. L'accusateur dit alors :

« Beau frère, criez merci de telle faute... »

Et il doit expliquer, sobrement, où, quand et comment le fautif a manqué au règlement. L'accusé doit comprendre que le frère a parlé pour son bien; il ne doit pas s'irriter, mais au contraire accepter le reproche et répondre, à genoux :

« Beau Sire, je crie merci à Dieu et à Notre-Dame, et à vous et aux frères, de ce que celui-là m'a repris. »

Cependant il peut être accusé à tort, par erreur involontaire, sans mauvaise intention. S'il n'est pas coupable, il a le droit, et le devoir, de nier, toutefois sans colère ni démonstrations excessives. Il faut répondre, par humilité et douceur :

« Beau Sire, je crie merci à Dieu et à Notre-Dame, et à vous et aux frères de ce dont on m'a repris, mais sachez que la chose n'est pas en telle manière. »

Ou bien :

« Messire, non, plaise à Dieu que je fasse jamais cette chose! »

Ou encore, s'il peut invoquer une excuse, ou des circonstances atténuantes :

« Sire, la chose est autrement. »

C'est alors à l'accusateur d'apporter la preuve de ce qu'il a avancé, s'il lui est possible. Il va donc citer plusieurs témoins à charge, avec la permission du président :

« Sire, il y a des frères qui savent cette chose. »

Le président fait droit à cette demande :

« S'il y a des frères qui sachent cette chose, qu'ils viennent devant nous. »

L'un après l'autre, ils se lèvent et se placent devant le président. Leur témoignage doit être absolument sincère; ils ne doivent parler ni « par amour ni par malveillance de part et d'autre », à peine de commettre un grave péché et une lourde faute.

De son côté l'accusé, s'il est certain de son innocence, peut à son tour reprocher sa faute à l'accusateur.

Si l'un ou l'autre, ou les deux à la fois, sont convaincus d'une faute, le président les fait sortir et met le châtiment en délibération. Sur les débats qui peuvent suivre et les divergences d'opinion, le secret le plus absolu doit être gardé. Nous verrons la sanction qui frappe les frères indiscrets. Il en va de même du président, qui prononçant le verdict, ne peut en aucun cas faire état de l'avis émis pour tel ou tel frère.

Quand un frère est coupable de plusieurs manquements, on applique la confusion des peines; il n'est châtié que pour une seule faute, en eût-il commis une dizaine, mais la peine est évidemment aggravée.

Un templier ne peut être accusé par un homme du siècle ou par un moine; il ne peut l'être que par ses frères, et cela est fondamental, mais tend aussi à prouver que l'ordre ne comptait pas que des amis. Cependant, si un prud'homme du siècle ou un moine, spécialement respectable et digne de foi, informait le commandeur d'agissements de nature à jeter l'opprobre sur la maison, on pouvait faire « assez de duretés » au coupable pour obtenir des aveux et le chasser de l'ordre, sans recourir au chapitre.

Les peines

Elles sont immédiatement exécutoires et, sauf cas d'exception (le répit), sans appel. Après le verdict, le président, s'il estime l'exemple salutaire, peut dire aux frères punis : « Allez vous dépouiller » (vous mettre torse nu), et leur administrer la discipline à l'aide d'une ceinture ou d'une courroie. Ainsi le châtiment corporel est-il public, de même que la confession l'a été.

Les peines, variées, se proportionnent à la gravité de la faute et à la réputation du condamné. Elles sont au nombre de neuf, en commençant par les plus sévères :

I. La perte de la maison (ou exclusion définitive de l'Ordre).

II. La perte de l'habit.

III. Le retrait temporaire de l'habit.

IV. Deux jours de pénitence par semaine et, la première semaine, trois jours.

V. Deux jours de pénitence simple.

VI. Un jour de pénitence.

VII. Pénitence limitée au vendredi.

VIII. Pénitence laissée à la discrétion du chapelain.

IX. Le répit, ou renvoi de l'affaire devant une instance supérieure.

X. La paix, qui signifie acquittement ou pardon général.

L'exclusion de l'ordre, à titre définitif, sanctionne neuf fautes majeures, qui sont intéressantes à rappeler car elles attestent jusqu'à l'évidence la rigueur de la discipline templière. Ce sont la simonie, la violation du secret des chapitres, le meurtre d'un chrétien ou d'une chrétienne, la sodomie (péché horrible, « ort et puant »), la mutinerie, la lâcheté reconnue, l'hérésie, la trahison (le templier passant aux Sarrasins) et le larcin.

La simonie est le crime commis par un frère qui s'est fait abusivement recevoir dans l'ordre par des dons ou des promesses, même faits par personne interposée. Celui qui l'a reçu, en se laissant corrompre, perd l'habit templier, le droit de recevoir d'autres frères et d'exercer un commandement. Ceux qui ont assisté à la réception et sont considérés comme complices – à condition qu'ils connussent la simonie – perdent l'habit et le droit à commander.

La sanction qui frappe la violation du secret des chapitres disciplinaires paraît bien dure, à première vue; mais que l'on imagine les conséquences que pouvait avoir, au sein de ces communautés, la divulgation des avis et commentaires des frères-juges, les vengeances qu'elles eussent appelées, les rivalités qu'elles auraient suscitées. Il fallait au contraire que chacun pût, à l'abri du secret, émettre son opinion librement et complètement. Et, sans même dramatiser la situation, n'eut-il pas été décourageant pour un frère de savoir qu'on le tenait pour douteux ou sans utilité dans la maison ?

La fuite du champ de bataille appelle aussi un commentaire. Dans le principe, quiconque lâche pied devant les Sarrasins, alors que le gonfanon beaucent reste visible, encourt la peine d'exclusion ; dans la pratique, on observe une gradation judicieuse. Cette faute est-elle commise par un chevalier du Temple, qu'il porte ou non son armure, il est exclu. Mais le sergent sans armure, donc ne pouvant combattre efficacement, peut se retirer sans dommage. De même, chevaliers et sergents peuvent se replier, avec l'autorisation du maréchal ou de son lieutenant, s'ils sont assez grièvement blessés. De façon générale, on ne peut, sous aucun prétexte, abandonner le gonfanon du Temple. S'il disparaît, on doit rallier le gonfanon des hospitaliers, à défaut tout gonfanon porté par les Chrétiens.

Quant au crime de larcin, il désigne plusieurs fautes, à la vérité de gravité différente. Est compté pour larcin :

— Le fait d'avoir dissimulé un empêchement majeur (mariage, prêtrise, maladie grave) lors de la réception dans l'ordre ;

— Le fait de sortir la nuit de la maison autrement que par la porte ;

— Le fait, lors d'une inspection, de dissimuler certaines choses ou certains objets ;

— Le fait d'être absent de la maison plus de deux nuits sans autorisation ;

— Le fait de quitter la maison par méchanceté, ou sur un coup d'humeur, en emportant plus que ses vêtements usuels, et d'être absent plus de deux nuits ;

— Le fait de dérober quelque chose dans la besace ou le coffre (la huche) d'un frère.

Quand l'exclusion est prononcée, le condamné doit

revenir torse nu, en caleçon et en chausses, une courroie autour du cou, devant le chapitre. Il s'agenouille,
reçoit la discipline avec la courroie qu'il porte. Le président lui remet ensuite sa « charte de congé ». Mais le
frère exclu ne peut aller à sa guise. Il doit entrer dans
un ordre plus rigoureux, de saint Benoît ou de saint
Augustin, pour y expier sa faute le reste de ses jours.
En aucun cas, il ne peut se faire hospitalier, par suite
d'un accord passé entre les deux ordres. Tente-t-il de se
soustraire au châtiment, si les frères s'emparent de sa
personne dans un délai de quarante jours, ils le mettent aux fers et le conduisent au couvent.

La perte de la maison survient aussi quand un
frère a le malheur d'être frappé de la lèpre, ou s'il a
dissimulé quelques maladies insupportables pour la
compagnie, telles que l'épilepsie, ou la maladie
« enflective »(?).

Enfin, bien que le fait d'avoir menti lors de la réception entraîne l'exclusion, il existe des adoucissements.
Qu'un chevalier dissimule sa condition noble, pour des
motifs à la vérité peu compréhensibles, et se fasse recevoir sergent templier, sa profession reste valable, mais
on lui donne le manteau blanc, par révérence envers la
chevalerie. Qu'un sergent se soit prétendu chevalier, on
ne le chasse pas, mais on lui donne l'habit et le manteau noir de sergent, ce qui est une simple rétrograda-
tion. Qu'un frère n'ait pas déclaré son mariage, on lui
inflige une dure pénitence et on le rend ensuite à
l'épouse venue le réclamer. Mais, si cette dernière
décède ou se fait religieuse, alors on rend le manteau
au fautif. Le fait d'avoir dissimulé une tare physique ou
une laide maladie est souvent apprécié avec indulgence, car les frères sont conscients de leur ignorance
en ce domaine. Le plus souvent, on applique à ces
malheureux le régime qui est celui des frères
« déraisonnables », ou plutôt déraisonnants, c'est-à-dire
plus ou moins aliénés : on les sépare de la communauté

par précaution et parce que, dans les maisons, tout doit s'accomplir harmonieusement et en silence.

Après l'exclusion, la pénitence « la plus dure et la plus âpre » que l'on puisse infliger est la perte de l'habit. Dans quels cas l'applique-t-on ? Quand, dans un mouvement de colère, un frère en frappe un autre, de manière à le renverser ou à rompre les lacets de son manteau : c'est-à-dire quand il l'a pris à la gorge ! La peine prononcée, le coupable rend ses chevaux, ses armes et son armure, car la perte de l'habit ravale au dernier rang de la maison, celui des domestiques. Quand un frère blesse grièvement un chrétien, on lui retire l'habit. De même quand il est prouvé qu'un frère a eu des rapports sexuels avec une femme; de surcroît il perd le droit d'accéder à la moindre dignité et d'exercer un commandement. De même quand un frère ment gravement. Et de même quand un frère dénonce une faute susceptible de provoquer l'exclusion d'un autre frère, faute qu'il ne peut démontrer, et refuse de reconnaître ses torts. De même encore quand un frère tue un serviteur (ou un esclave, s'il sert dans une commanderie d'Orient). Aussi quand un frère blesse ou tue un cheval, par courroux. Aussi quand il arbore des habits donnés par les gens du siècle, s'il prétend mensongèrement qu'ils proviennent de la maison. De même, s'il donne sans autorisation une bête vivante longue de quatre pieds, à l'exception d'un chat ou d'un chien. De même, s'il se rebelle contre un ordre et s'opiniâtre, par folie imbécile, dans son refus d'obéissance. De même si, devant le chapitre disciplinaire, il refuse de crier merci d'une faute reconnue et prouvée. Les autres cas sont : bris du sceau magistral, prêts consentis sans autorisation, travaux effectués sans autorisation, absence limitée à une nuit (sur un coup de colère), le fait de jeter son manteau à terre par dépit, celui d'abandonner volontairement son habit... La liste n'est pas exhaustive !

La règle émet toutefois une réserve très importante

quant à la perte de l'habit. Lorsque le commandeur d'une maison n'a pas le pouvoir de recevoir des chevaliers dans l'ordre, il ne peut leur retirer l'habit sans la permission de son supérieur, les chevaliers punis fussent-ils ses subordonnés. Pour autant il ne s'agit point d'octroyer un privilège quelconque aux chevaliers, mais d'éviter les petites vengeances personnelles et les humiliations. Etant infligée par un supérieur, la punition s'accepte de meilleure grâce.

La perte de l'habit ne peut excéder un an et un jour. Pendant toute la durée de la pénitence, chaque dimanche après l'évangile, le frère reçoit la discipline devant toute l'assistance : chevaliers, sergents, écuyers, serviteurs, et gens du siècle venus entendre la messe de la commanderie. La discipline reçue avec humilité et dévotion, le frère va mettre sa tunique et revient dans la chapelle. S'il tombe malade en cours de pénitence, qu'arrive-t-il ? Le frère puni couche et mange à l'infirmerie et il est, bien entendu, dispensé de la discipline. La durée de sa maladie ne repousse pas d'autant la fin de sa peine; elle s'inclut dans le temps de pénitence, ce qui est humain et logique. La perte de l'habit s'accompagne de trois jours de jeûne par semaine, au pain et à l'eau : le lundi, le mercredi et le vendredi. Le pénitent ne peut émettre son avis au cours des chapitres disciplinaires, ni porter témoignage contre un frère accusé, encore moins formuler une accusation. Quand enfin le chapitre décide de lui rendre l'habit, il ne reprend pas immédiatement sa place à la table du réfectoire, mais doit manger un jour encore à terre, sur un pan de son manteau.

Les autres peines (deux jours de pénitence et trois jours la première semaine, deux jours simples et un jour) n'entraînent pas le retrait de l'habit; elles sanctionnent des fautes moins graves ou commises par des frères jusque-là irréprochables. Les trois premières de ces peines obligent à des travaux considérés comme « vils » : laver les écuelles à la cuisine, peler les aulx et les ciboules, allumer le feu et, surtout, « mener l'âne », charger et décharger sa charrette. On ne doit pas avoir honte de la pénitence, mais de la faute qu'elle punit. Cependant elle interrompt le service militaire, qui est l'activité noble de la maison. Mais, par faveur du chapitre et sans doute aussi en fonction des nécessités, le frère puni peut continuer à remplir ses fonctions habituelles. Il est à noter que le commandeur, ou le président du chapitre, n'a pas le pouvoir de lever ou d'adoucir la pénitence. C'est la majorité des frères qui prononce, mais il est recommandé d'accourcir le châtiment si le frère puni supporte la pénitence avec humilité et courage. L'absolution décidée par le chapitre, le président fait appeler le frère et déclare :

« Beau frère, nos frères vous font une grande bonté. Quand bien même, s'ils l'avaient voulu, ils vous auraient pu tenir longtemps en pénitence, selon les usages de la maison, ils vous lèvent de terre[1], mais, par Dieu, gardez-vous aussi bien que s'ils vous avaient tenu plus longtemps. »

La peine du vendredi est la plus légère, bien que le frère qu'elle sanctionne jeûne au pain et à l'eau et reçoive la discipline.

Quant à la pénitence laissée à la discrétion du chapelain, elle consiste principalement en prières.

La mise en répit revêt un caractère de particulière gravité. C'est le renvoi de l'affaire devant l'autorité supérieure : parce que la faute est trop grave pour être jugée par un chapitre ordinaire, ou qu'elle intéresse la réputation de l'ordre tout entier, ou qu'elle est si nouvelle que l'on ignore la jurisprudence à appliquer et que le chapitre préfère se déclarer incompétent. Mais un frère dont la mauvaise conduite est prononcée et paraît irréversible malgré les pénitences antérieures, peut être lui aussi mis en répit et déféré au maître. En Terre sainte, les juges suprêmes sont le maître du Tem-

---

1. Puisque les frères punis mangeaient, non pas à table, mais à terre.

ple et son chapitre. Ailleurs, le maître de la province dont relève la commanderie concernée.

Comment le chapitre prend fin

Le chapitre se termine par la confession des frères, suivie de l'absolution donnée par le chapelain. Ensuite le président doit dire :

« Et moi, beaux seigneurs, je demande pardon à vous tous et à chacun en particulier, de ce que j'ai fait ou dit que je n'aurais dû faire ou dire. Vous devez me le pardonner pour Dieu et pour sa douce mère. Pardonnez-vous aussi les uns aux autres pour Notre-Seigneur, afin que ni courroux ni haine ne demeurent parmi vous. »

Les frères se donnent alors le pardon réciproque. Après quoi, le président reprend la parole :

« Beaux seigneurs frères, vous devez savoir que, chaque fois que nous sortons de chapitre, nous devons d'abord prier Notre-Seigneur... »

A sa suite, le chapitre prie pour la paix et pour l'Eglise, pour le saint royaume de Jérusalem et pour le Temple, pour les autres ordres et pour les gens d'Eglise, pour les bienfaiteurs et les bienfaitrices, pour les vivants et enfin « pour tous ceux qui s'en sont allés de ce siècle et attendent la miséricorde de Notre-Seigneur », mais spécialement pour ceux qui reposent dans le cimetière de la commanderie et pour les âmes des parents des templiers, afin, dit la règle, « que notre Sire, par sa douceur, leur pardonne leurs fautes et leur donne la paix ».

Les Egards

Il n'est pas sans intérêt de lire les *Egards*, car ils explicitent certaines fautes et, par des exemples empruntés à l'histoire interne du Temple, montrent comment, dans la pratique, on appliquait le « code pénal » de l'ordre. Touchant au crime de simonie, le rédacteur de ce code relate un fait survenu pendant la maîtrise d'Armand de Périgord, c'est-à-dire entre 1229, date de l'élection de ce dernier, et 1244, date de sa mort. Plusieurs templiers, de haute réputation, s'avisèrent soudain qu'ils avaient été reçus par simonie; ils s'en ouvrirent à divers prud'hommes de l'ordre, connus pour leur sagesse, qui leur conseillèrent d'avouer leur faute au maître. L'embarras d'Armand de Périgord fut extrême, car les coupables étaient des templiers d'élite. Il leur demanda de garder le secret, pour le bon renom du Temple, et réunit son conseil privé. On convint de ne pas recourir à la procédure ordinaire, mais de soumettre le cas au pape, lequel chargea l'archevêque de Césarée, ami du Temple, de trancher le dilemme. Armand de Périgord, ses conseillers, les chevaliers coupables comparurent donc devant l'archevêque. Les frères furent dépouillés de leur habit, absous par l'archevêque, puis refirent leur profession et reprirent place dans l'ordre. « Et ces choses furent faites parce qu'ils étaient depuis longtemps frères de la maison, sages et prud'hommes, de bonne vie et religion. » L'un d'eux fut même élu par la suite maître du Temple, et c'était Guillaume de Sonnac qui mourut à Mansourah en 1249, pendant la première croisade de saint Louis. Le commentateur ajoute : « Si les frères avaient été de mauvais portement, jamais cette bonté ne leur eût été faite. »

Inversement, il raconte plusieurs histoires montrant l'extrême rigueur de la justice templière. L'une des plus typiques est celle d'un frère de Chastel-Pèlerin (Safit, une des principales forteresses de l'ordre, dans le comté de Tripoli). Ce frère, responsable de la bergerie, fut invité par le commandeur à montrer les provisions qu'il tenait en réserve. Il dissimula une jarre de beurre, fut repris par le commandeur et perdit la maison.

La trahison (passage aux Sarrasins, reniement de la croix, même pour sauver sa vie et seulement des lèvres, non de cœur) est impitoyablement châtiée. Et le rédacteur de citer le triste exemple de Roger d'Aleman qui fut pris à Gaza. Les Sarrasins l'obligèrent « à lever le doigt et à crier la loi » (le Coran). Rendu au Temple, il fut mis aux fers, puis « en répit ». Déféré devant la juridiction du maître, il soutint qu'il ne savait pas ce que les Sarrasins lui avaient fait crier, mais fut exclu de l'ordre. Il y avait cependant des nuances : un frère de Saphet (près du lac Tibériade) assembla son équipement dans l'intention de quitter le Temple et, de nuit, se rendit à un casal (ferme fortifiée) naguère en possession des chevaliers teutoniques, mais occupé par les Sarrasins. Il passa avec eux le reste de la nuit, mais, le lendemain, saisi de remords, il se présenta à la commanderie de Saint-Jean-d'Acre. Le chapitre tint compte du fait que, le casal étant présumé chrétien, le frère n'avait pas réellement voulu se donner aux Sarrasins. Il ne fut donc pas exclu, mais condamné à la perte de l'habit.

La sodomie était pour les templiers un péché si exécrable qu'ils l'osaient à peine nommer. Ce sera pourtant l'un des chefs d'accusation retenus contre eux, lors du scandaleux procès de 1307. Les *Egards* montrent, précisément, comment les sodomites étaient jugés : « Il y avait à Chastel-Pèlerin des frères qui usaient de mauvais péché et mangeaient de nuit dans une chambre. Ceux qui se tenaient à proximité, et d'autres qui l'avaient abusivement toléré, rapportèrent la chose au maître et aux prud'hommes de la maison. Le maître tint conseil; il fut décidé que la faute ne serait pas évoquée devant le chapitre, car elle était trop laide, mais que l'on convoquerait les frères en Acre. » Ils y vinrent. Le maître les fit enfermer à l'écart, secrètement. On leur enleva l'habit et on les mit « en gros fers ». L'un d'eux parvint à s'échapper de prison et nuitamment passa aux Sarrasins; des deux autres, l'un fut tué au cours d'une tentative d'évasion et l'autre passa de longues années en prison.

Parmi les fautes que sanctionnait le retrait de l'habit figurait le refus d'obéissance. Mais qu'entendait-on exactement par là? Le rédacteur des *Egards* nous répond : « Il advint à Tortose que le commandeur donne un ordre à un frère et ce dernier lui dit : « Espoir je le ferai » (nous dirions aujourd'hui : un moment!). Le commandeur le « reprit » et le chapitre le condamna au retrait de l'habit. »

La courtoisie, la douceur que la règle met sans cesse en avant et que les dignitaires s'efforçaient de promouvoir, ne s'imposaient pas sans difficultés, surtout en Terre sainte. Il ne faut pas oublier que, là-bas, les templiers vivaient en soldats, combattaient fréquemment, tantôt contre les brigands qui pullulaient, et tantôt en batailles rangées. Ces activités s'accommodaient assez mal avec l'existence monastique. D'où une certaine violence se traduisant parfois par des bousculades, des pugilats, voire des rixes. La patience n'était pas toujours la qualité dominante des templiers. D'où certaines anecdotes rapportées par l'auteur des *Egards* et qu'il convient de retenir par souci d'objectivité. A Saint-Jean-d'Acre, des clercs furent aperçus volant des pigeons dorés dans le colombier du Temple. Le commandeur en fit l'observation à un certain frère Hermant, responsable de la boverie (parc aux bœufs). Ce dernier aposta l'un de ses hommes; les clercs furent surpris en flagrant délit et battus comme plâtre par Hermant et son compagnon. L'un des clercs reçut même une grave blessure à la tête. Plainte au légat du pape, qui saisit le maître de l'affaire. Le maître déféra les coupables devant le chapitre qui leur enleva l'habit et les mit en prison. Leur peine purgée, ils furent mutés dans une commanderie de Chypre, « parce que la batture était trop laide ! ».

A Japhet, c'est un pugilat au dortoir. L'ordre est soudain donné de se lever, vers minuit. L'un des frères, un peu trop brutal, attrape les cheveux de son voisin et le jette à terre. La chose est vue, et rapportée à Hugues de Monlo, alors maréchal du Temple. « Repris », le coupable demande pardon. Le chapitre tergiverse. Les frères anciens inclinent à la bienveillance, sous prétexte qu'il n'y a pas eu effusion de sang. Les autres sont d'avis d'appliquer la règle. Le maréchal partage cette opinion et le coupable est mis aux fers, puis muté.

Les exemples cités ont le même accent, et la même piquante saveur, quant au fameux délit multiforme de larcin. A Saphet, un sergent du Temple envoie un frère demander un soulier à la corviserie (cordonnerie). Refus du caravanier de la cordonnerie. Le frère demande alors les clefs de l'aumoire (l'armoire) où l'on enfermait les souliers. Le caravanier répond qu'il n'en fera rien. Colère du frère qui brise l'armoire, prend un soulier et le porte au sergent. Plainte au commandeur qui évoque l'affaire au chapitre. Est-ce un larcin ? Le chapitre répond par la négative, car ce qui a été dérobé par le frère n'est pas sorti de la maison. Et c'est ici que l'on aperçoit l'esprit d'économie de l'ordre. N'est compté comme larcin véritable, que ce qui sort indûment des commanderies, donc appauvrit le Temple.

Dans la même perspective, on voit un commandeur perdre l'habit, parce qu'il a causé, par légèreté et caprice, la perte d'un cheval. Un homme avait confié ce cheval, alors malade, aux templiers (qui passaient pour assez bons vétérinaires), La bête étant guérie, ce commandeur l'enfourche pour faire un brin de galop. Il voit un lièvre et le poursuit. Le cheval tombe, se blesse et meurt de sa blessure. Le Temple est tenu de le remplacer ou de le rembourser. Dommage, donc larcin !

Même pénitence envers un frère par trop irritable qui, ayant par maladresse brisé un gobelet de verre, jette toute la pile à terre. Larcin, qui plus est volontaire! Larcin aussi que la maladresse de ce frère qui, à Montpellier, veut éprouver son épée et la casse. C'est encore un larcin que de prendre une initiative sans autorisation et qui tourne mal : comme ce frère Jacques de Ravane qui sortit d'Acre avec des frères, des sergents et des turcopoles et, sur la route de Casal-Robert (entre Nazareth et le lac de Tibériade), fut attaqué par les Sarrasins qui lui tuèrent du monde; il perdit l'habit et fut mis aux fers. Larcin encore et fort grave que l'imprudence de ces frères jardiniers et frères vignerons qui sortirent d'Acre, sans permission, pour souper un peu trop joyeusement ensemble, revinrent à la nuit et furent surpris par les Sarrasins. Ceux qui réchappèrent gardèrent tout de même leur habit, mais à cause des graves blessures qu'ils avaient reçues. Larcin toujours que de ne pas contrôler minutieusement les dépenses, car il en résulte un dommage. Le frère Jean Bouchedelièvre (probablement Bec-de-Lièvre) évita de justesse une sanction, parce qu'ayant dépensé deux cents besants à la construction d'une maison, il était incapable de détailler l'emploi de cet argent. Sa bonne réputation le sauva, sinon il eût été exclu de l'ordre. Le même jour, le chapitre enleva l'habit à un frère qui s'obstinait à tenir sa chandelle allumée, alors que son commandeur lui avait ordonné de l'éteindre.

Par ces quelques exemples, on voit quelles sortes de fautes les chapitres avaient à connaître, et comment ils appliquaient la règle. L'auteur des *Egards* ayant résidé en Terre sainte, les exemples qu'il cite illustrent plus spécialement la vie quotidienne et l'atmosphère des templeries d'Orient. Certains se rapportent toutefois aux templeries d'Espagne ou du Languedoc (l'épée de Montpellier). Grattant son parchemin, notre templier devait évoquer les souvenirs qui jalonnaient sa propre carrière. On perçoit, ici et là, qu'il a assisté à certains chapitres. Il parle en connaissance de cause; il émet une opinion personnelle; parfois on le sent discrètement amusé. Il ressort de son témoignage que la justice dans les commanderies d'Orient ne différait en rien de celle que l'on appliquait en Occident. Il semble même que l'on se montrait plus sévère dans celles-ci que dans celles-là. En Orient, les *Egards* en attestent, la proximité et la fréquence d'un danger mortel, la confusion résultant des alertes disposaient quelque peu à l'indulgence. Les frères chargés de pénitence n'ayant pas le droit de combattre, il est probable que, par nécessité, on suspendait ou l'on écourtait la peine. L'angoissant problème des effectifs, aggravé par les pertes, ne permettait guère de se priver de sujets d'élite. Or les soldats les plus valeureux ne font pas nécessairement des moines exemplaires, même sous la croix du Temple...

CHAPITRE VII

COMMANDERIES D'OCCIDENT

Mult tiennent net leurs Maisons,
Justice tiennent grande et fière,
Pour ce est l'ordre plus grande
et chère,
Mais de deux choses sont criés
Maintes fois et souvent blâmés
Convoiteux sont, ce dit tuit
(tous)
Et d'orgueil ont-ils mult grand
bruit.

GUIOT DE PROVINS, *Bible.*

LE templier Jocelin a vécu dans les riches palais du comte de Troyes. Si les danses, les ris, les fastes du siècle se sont effacés de sa mémoire, il n'a pas oublié les grands poèmes que les trouvères venaient réciter, car c'était une tradition en Champagne de protéger et de cultiver les arts. Il était même assez lettré pour recopier, à ses heures perdues, les vers dont il s'enchantait secrètement. C'était l'époque où son âme angoissée cherchait sa voie, une explication et un sens à l'existence terrestre. Les romans de Chrétien de Troyes le consolaient alors de son néant. Un jour était venu d'Allemagne un conteur. Il savait par cœur le *Par-*

zifal de Wolfram d'Eschenbach, mais personne à Troyes n'entendait sa langue. Le conteur avait dû traduire et résumer le poème. Certains disaient qu'il était une version du *Perceval* de Chrétien de Troyes, et d'autres de Guiot de Provins, qu'Eschenbach appelait Guiot le Provençal, par ignorance et confusion. Jocelin s'était donné la peine d'en transcrire des extraits :

« C'est chose qui m'est bien connue, de vaillants chevaliers ont leur demeure au château de Montsalvage, où l'on garde le Graal. Ce sont LES TEMPLIERS qui vont chevaucher au loin, en quête d'aventures. Quelle que soit l'issue de leurs combats, gloire ou humiliation, ils l'acceptent d'un cœur serein, en expiation de leurs péchés. En ce château réside une troupe de fins guerriers. Je veux vous dire quelle est leur subsistance : tout ce dont ils se nourrissent leur vient d'une pierre précieuse qui en son essence est toute pureté... C'est par la vertu de cette pierre que le phénix se consume et devient cendres; mais de ces cendres renaît la vie; c'est grâce à cette pierre que le phénix accomplit sa mue pour reparaître ensuite aussi beau que jamais... Cette pierre donne à l'homme une telle vigueur que ses os et sa chair retrouvent aussitôt leur jeunesse. Elle porte aussi le nom de Graal.

« En un jour elle reçoit du ciel ce qui lui donne sa plus haute vertu. C'est aujourd'hui Vendredi saint; c'est le jour où l'on peut voir une colombe descendue du ciel en planant; elle apporte une petite hostie blanche et la pose sur la pierre...

« Ceux qui sont appelés à se rendre auprès du Graal, je veux vous dire comment on les reconnaît. Sur le bord de la pierre, on voit apparaître une inscription mystérieuse disant le nom et la lignée de ceux qui sont marqués pour accomplir ce bienheureux voyage... Pauvres et riches se réjouissent également quand on les avertit qu'il faut envoyer leurs enfants se joindre à la troupe sainte. On va chercher les élus dans les pays les plus divers; ils sont dès lors et pour toujours protégés des pensées pécheresses d'où naît la honte, et ils reçoivent au ciel belle récompense... »

Sous la trame « romanesque », le symbole de cette pierre se passe de commentaires. Mais plus d'un jeune chevalier rêva à ce château de Montsalvage gardé par les templiers. Car c'est bien à eux que Wolfram d'Eschenbach, peut-être templier lui-même ou affilié de façon ou d'autre, confie la garde du Graal qui, vase ou pierre, symbolise la foi chrétienne. Combien de fois Jocelin rêva-t-il, lui aussi, de connaître le mystérieux château de Montsalvage, dont les uns disaient qu'il se dressait quelque part dans les marches d'Espagne, face aux Sarrasins, et d'autres en Terre sainte! Le roi « pêcheur », le roi blessé qui ne pouvait guérir, qui était-il? N'était-ce pas le roi de Jérusalem, au royaume à demi submergé par les infidèles et qu'il fallait délivrer de son fardeau? Etait-ce enfin par hasard ou par caprice de poète que, précisément, le pauvre roi était entouré de templiers, son unique soutien? Ç'avait été pour Jocelin comme une révélation, ou comme un appel au secours qu'il eût entendu soudain. Il voulait accomplir sa foi, aller jusqu'au bout du sacrifice et renaître lui aussi de ses cendres, à l'image du phénix, afin d'accéder à la vie heureuse. Il s'était fait templier, non par crainte du lendemain, non tellement par dégoût du siècle, mais bien pour combattre outre mer. Il brûlait d'aller en Terre sainte. Mais n'y allait pas qui le désirait! Il ne suffisait pas de se porter volontaire, il fallait être désigné par les prudhommes de l'ordre. Or ceux-ci n'entendaient envoyer en Terre sainte que des templiers prononcés, confirmés, au fait des usages, des obligations et des justices de la maison. Ils estimaient, à juste raison, que l'atmosphère guerrière ne tendait que trop à émousser les bonnes habitudes; que le voisinage des Sarrasins, l'entourage des Poulains risquaient d'être contagieux. Un laps de temps était nécessaire pour étudier le comportement des recrues et, davantage, achever leur formation templière. Que penseraient le maître et les dignitaires s'ils recevaient un contingent de mauvais frères, au courage hésitant, à la foi incertaine, capables, malgré leurs vœux, de plier, voire de renier à la première occasion ? Quel jugement porteraient-ils sur ceux qui les avaient reçus ? De quelles complaisances les soupçonneraient-ils ? Il fallait en Orient des frères éprouvés, des corps de fer, des âmes d'acier. En eux résidait le dernier et fragile espoir du pauvre royaume de Jérusalem ! Et puis, et ce n'était pas une mince raison, on avait besoin de monde pour gérer les domaines du Temple, surveiller les exploitations, négocier les contrats, tenir une comptabilité minutieuse, bref produire le plus d'argent qu'il était possible, afin d'alimenter le trésor de guerre. Les travaux de construction et de réparation des places fortes, l'entretien et l'équipement de leurs défenseurs (chevaliers et sergents du Temple, troupes auxiliaires) dévoraient les revenus des commanderies d'Occident. Il était donc indispensable d'apprendre à ces jeunes chevaliers qui ne connaissaient que la guerre, les tournois, la chasse et les chevauchées, comment on administrait les commanderies, et d'autant qu'il y en avait de plusieurs sortes. La plupart d'entre eux étaient illettrés. Ceux qui savaient lire et écrire étaient d'autant plus précieux; ils faisaient l'objet d'un soin particulier; on les mutait plus fréquemment dans le but de parfaire leur expérience. C'était aussi parmi eux que l'on choisissait de préférence les commandeurs et futurs dignitaires. L'âge était dépassé, où la qualité de preux suffisait pour accéder aux premières charges. L'ordre était devenu riche; il avait pris une complexité extrême, avec une « administration centrale » et des « services extérieurs » : pour employer les termes de notre époque. Notre petit frère Jocelin pouvait bien montrer son impatience de partir en Terre sainte ! On lui faisait, puisqu'il avait une belle écriture et qu'il savait un peu de latin, transcrire des chartes, établir l'état des dépenses et des recettes de la maison. On l'envoyait encaisser les droits, contrôler les livraisons, surveiller les laboureurs ou les bouviers, vérifier les réparations effectuées en quelque ferme, porter des messages à Provins, convoyer l'argent que l'on transportait à Paris. Coulommiers n'était qu'une maison de moyenne importance, mais située à la croisée des routes menant à Reims, à Provins, à Sens et à Paris, impliquant donc un véritable service de police et servant d'étape. Quand un dignitaire s'y arrêtait, on lui fournissait une escorte : par honneur et révérence envers sa dignité. Si bien qu'en ajoutant à ces multiples sujétions matérielles le temps consacré aux offices et à la prière, Jocelin n'avait pas un instant à lui. La règle n'exigeait-elle pas des templiers qu'ils ne fussent jamais inoccupés, chacun d'eux selon ses talents et sa bonne volonté ? Muté à Provins, puis à Bonlieu, ensuite à Paris, par la grâce d'un visiteur qui l'avait remarqué, il attendit des années son départ en Terre sainte, parmi d'autres en tous points semblables à lui et désireux de se battre. Mais ne devait-il pas d'abord obéir ? Il avait eu la naïveté d'avouer son impatience à ce visiteur, lequel donna l'ordre de prolonger son séjour à Coulommiers, car il importait de briser les velléités d'indépendance, les initiatives personnelles et la trop bonne opinion que l'on pouvait garder de soi. Frère Jocelin avait plié, refrénant son courroux et ravalant ses larmes. Et, comme tant d'autres, il avait peu à peu extirpé de sa pensée les rêveries de bataille. Il avait accepté les besognes qu'on lui imposait comme une pénitence et compris, douloureusement, que l'ordre exigeait de ses soldats plus que de la bravoure individuelle et, dans sa soumission, chemin faisant, d'une commanderie à l'autre, il avait acquis promptement les connaissances indispensables. Déjà, malgré sa jeunesse, on le rangeait parmi les prudhommes, et les frères anciens lui promettaient les plus hautes charges. Mais quelles étaient les activités et les ressources des templeries, et comment leurs domaines s'étaient-ils formés ?

Commanderies rurales

Certains auteurs n'ont pas craint d'écrire que le Temple avait possédé neuf mille commanderies en Occident, c'est-à-dire en France, en Angleterre, en Espagne et au Portugal, en Allemagne et en Italie. Ce chiffre est exagéré, ou plutôt il représente le total des commanderies et de leurs annexes : fermes et casals. La France, où le Temple avait rencontré le plus constant succès et suscité d'extraordinaires donations, et qui apparaît comme le berceau de cet ordre en Occident, ne comptait qu'environ sept cents véritables commanderies, lesquelles groupaient chacune en moyenne une dizaine de domaines, indépendamment de maisons et de champs dispersés et, même, des villages entiers. Pour donner un aperçu de leur importance, de leur revenu, ce serait un leurre que de recourir à la statistique : les unités de mesure variaient avec les régions et leur correspondance exacte est presque impossible à déterminer; on ne saurait davantage convertir en francs actuels les monnaies de l'époque, non seulement en raison de leur diversité, mais des fluctuations du pouvoir d'achat. Mieux vaut s'en tenir à quelques exemples choisis dans des régions différentes, mais qui ne sont peut-être pas les plus signifiants, tous les cartulaires du Temple n'ayant pas été analysés et certains restant même à découvrir. Les cartulaires les plus connus nous renseignent généralement assez bien sur la fondation et l'extension des templeries. Les inventaires dressés en 1307 par les syndics de Philippe le Bel, après l'arrestation des templiers, fournissent de précieux détails sur l'économie interne des maisons. Nombre de documents ultérieurs attestent la cupidité du roi, les ventes et le pillage systématique pratiqué par ses agents et conformément à ses instructions.

La commanderie de Coulommiers, en Brie, fut fondée à la suite d'un don du comte Thibaud II de Champagne et de Brie, peu après le concile de Troyes. Il donna aux templiers les ruines d'un petit château, luimême érigé à l'emplacement d'un *castrum,* position stratégique située à la croisée de deux routes importantes, au lieu-dit Montbilliard, dominant de quatre-vingts mètres la ville de Coulommiers. En 1173, Henri, comte palatin de Troyes, donnait un moulin avec son tenancier, cependant qu'un certain Ferry de Paris offrait aussi un moulin avec son tenancier. En 1232, un autre comte de Champagne donnait au temple de Coulommiers environ quatre cents hectares à prendre dans sa forêt de Mahan. Des seigneurs de moindre importance offraient des fermes, des pièces de terre ou des rentes. Dans la monographie qu'il a consacrée à cette commanderie, Jean Schelstraete note qu'en 1783, le domaine (alors possession des hospitaliers devenus par la suite chevaliers de Rhodes, puis de Malte) comprenait encore (en dépit des ventes et des spoliations) cinq grandes fermes, dont celle de Bilbartault, un ensemble de terres, de bois et de maisons, rapportant la somme de 24000 livres qu'il évalue à 340000 F de notre monnaie.

La croissance de la *commanderie de Bonlieu,* dans le diocèse de Troyes, telle qu'elle résulte des chartes subsistantes, est non moins significative. Vers 1220, André de Rosson décide de se faire templier; il donne tout ce qu'il possède en terres, bois et prés, à Rosson et Aillefol. Dix ans plus tard, un autre seigneur local donne ses biens dans les mêmes villages. En 1238, Gauthier IV, comte de Brienne, marié à la sœur du roi de Chypre, Marie de Lusignan, a de gros besoins d'argent. Il vend mille arpents de sa forêt de Beteiz aux templiers de Bonlieu : il est à noter que la vente a été consentie en Orient, au maître du Temple, mais à l'in-

124

tention des frères de Bonlieu. Ces derniers, devenus prospères, agrandissent leurs domaines; en 1250, ils achètent notamment six cents arpents de bois au chevalier de Milly. Si l'on totalise leurs acquisitions, on constate que, de 1232 à 1255, leurs possessions se sont étendues d'environ 4 500 arpents et que l'ensemble de leurs biens représentait environ trois mille hectares, l'arpent de Troyes étant estimé à 0,6 hectare. Pendant la même période, les dons n'ont cessé de les enrichir, pour modestes qu'ils paraissent : un revenu de trois setiers d'avoine et dix sous; vingt sous de rente; trente arpents de terre, etc.

Le cartulaire de la *commanderie de Sommereux*, en Picardie, chef-lieu d'une baillie, ne comprend pas moins de cent six actes couvrant la période s'étendant de 1140 à 1262. Fondée sous le règne de Louis VII, grâce aux libéralités du seigneur du lieu, Soustans de Fins, par donations successives, échanges et achats, elle finit par posséder des terres dans toutes les paroisses voisines, des maisons à Beauvais et à Clermont. Le commandeur-bailli de Sommereux partageait en outre avec le seigneur du lieu les droits de champart, de terrage, de justice, les dîmes et autres revenus attachés au fief. Plusieurs frères, chevaliers et sergents l'assistaient. Il disposait d'un frère grangier chargé de la garde et de la vente des récoltes, ainsi que de la perception des dîmes et redevances foncières; d'un *dispensator* (économe) chargé de tenir la comptabilité. Son chapelain était en même temps curé de la paroisse de Sommereux. Comme nous le constaterons ailleurs, l'importance de la templerie avait amené sa fragmentation : on avait érigé une commanderie distincte à Neuilly-sous-Clermont, dotée d'une chapelle et de terres indépendantes.

Passons en Normandie. L'une des commanderies les plus considérables de cette région était celle de *Renneville* (dans l'Eure). En 1140, Richard, fils cadet de Robert Ier baron d'Harcourt et de Colette d'Argouges, fit bâtir la chapelle Saint-Etienne de Renneville et la donna aux templiers avec le fief qu'il tenait par héritage et le patronage de la paroisse d'Epreville, près de Neubourg. Après avoir combattu en Terre sainte, il mourut et fut inhumé dans la chapelle Saint-Etienne; un gisant le représentait « couché de son long, avec une cotte de mailles, son épée et bouclier aux armes de Harcourt », avec cette inscription : « Ci-gît frère Richard de Harcourt chevalier del commandement de la Chevalerie del Temple fondateur de la meson de Saint-Etienne. » A cette époque la commanderie comprenait une chapelle, un manoir fortifié, un colombier et des dépendances. En 1156, Marguerite, comtesse de Warwick, donna le domaine de Lammadoc, avec le consentement de son fils, Henri de Neubourg. Deux ans plus tôt, les templiers de Renneville avaient reçu le domaine d'Angerville, de Godefroi Vac. Ensuite les dons se succédèrent, non seulement jusqu'à la fin du XIIe siècle, mais pendant le XIIIe et quasi jusqu'aux derniers jours de l'ordre. Tantôt il s'agit de simples gratifications en argent, tantôt de rentes, tantôt de donations de serfs avec leurs familles, leur chaumière et leur jardin, tantôt de belles et riches fermes (comme celle de Dieu-l'Accroisse à Tilleul-Lambert, ou de Feuguerolles) ou de maisons à Evreux, de fiefs ou de parts de fiefs (Courbépine donné en 1205 par Robert des Erables, Rublemont en 1294, Tournedos-Bois-Hubert, Tourville-la-Campagne). Par échanges et achats, les templiers de Renneville arrondissaient leurs possessions; ils achetèrent même un fief entier au sir de Nonancourt, Philippe d'Artois : celui de la Gouberge à Ormes-Emanville. Tant et si bien que, de même qu'à Sommereux, on fut obligé d'ériger des commanderies indépendantes. Mais, et le fait est symptomatique, dès la fin du XIIe siècle, les conflits s'amorçaient avec les autorités ecclésiastiques. En 1199, les templiers de Renneville se heurtèrent aux abbés du Bec-Hellouin au sujet de la perception des dîmes dans les paroisses de Marbouf et d'Epreville. Ils eurent la sagesse de conclure un traité de partage que cosignèrent l'abbé du Bec et le précepteur de Normandie.

Un peu partout, dans cette riche province, se formaient des commanderies de moindre importance comme celle de *Bourgoult* (à Harquency, Eure) qui, née des libéralités de Robert Crespin, fils du baron d'Etrépagny et d'Agnès de Rouvroy, en 1219, s'agrandit par les dons successifs de la même famille (neveu, petit-neveu, etc.), et devint autonome à la fin du XIIIe siècle.

Nous retrouvons le même processus d'accroissement dans le Midi. Au *Puy-en-Velay*, la Templerie, sise hors les murs, non loin de la porte d'Avignon, a été fondée en 1170. Le domaine initial de Senenjols, au pied des collines du même nom, s'est arrondi peu à peu d'une partie de la forêt, de prairies, de bâtiments agricoles (granges), puis étendu aux paroisses environnantes : Freycinet, Belvezet, Benamorel. De ce trop vaste domaine, on a détaché des terres en quantité suffisante pour fonder trois commanderies : Montredon, Sauvetat et Marlhettes. La commanderie mère, qui avait rang de prieuré, dépendait elle-même de la maison de Montpellier.

A *Vaour* (dans le Tarn), la commanderie a été fondée en 1140. Grâce aux donations des seigneurs locaux (les chevaliers de Penne et de Montaigut), du comte de Toulouse, des religieux de Septfons et de Chancelade, ses biens s'étendent au XIIIe siècle sur sept cantons, dont les revenus s'augmentent de dîmes, de droits de pâturages et du travail des serfs « donnés ». Comme ailleurs, on est amené à fragmenter ce territoire trop vaste pour être correctement géré, et l'on crée les commanderies de Montricoux et de La Capelle-Livron. Au sujet de Vaour, citons une anecdote : le comte de Toulouse-Saint-Gilles avait abandonné aux templiers la totalité de ses droits sur Castres et les environs, tout en maintenant son droit de seigneurie symboliquement représenté par... la propriété des oiseaux de proie !

A *Montsaunès* (Haute-Garonne), les seigneurs locaux (les Montpezat, Roquefort, Couts, Aspet, etc.) rivalisent pareillement de générosité, en donnant des domaines, des vignes, des champs, des serfs avec leurs familles, des fiefs entiers, des droits de toute nature. Dodon, comte de Comminges, avait d'ailleurs donné l'exemple en se faisant templier en 1176 et en dotant fastueusement la commanderie. Mais avant lui, il est vrai, de plus minces seigneurs avaient reçu le blanc manteau et donné ce qu'ils pouvaient : Raimond At d'Aspet en 1156 et Raimond Guilhem de Couts en 1168. Au XIIIe siècle, la templerie de Montsaunès s'étendait sur une dizaine de communes, d'où érection de Saint-Sirac en commanderie indépendante. Charles Higounet, qui a minutieusement dépouillé ce cartulaire (98 pièces datées de 1156 à 1193), a dénombré une quarantaine de donations à titre gratuit, un peu plus de donations rémunérées (dont il suppose qu'il s'agissait de prêts hypothécaires), les autres actes traduisant des échanges ou des achats.

Mais, parmi les possessions de Montsaunès, Higounet a tout spécialement étudié une bastide de colonisation templière : celle de *Plagnes,* dans le canton de Cazères (Haute-Garonne). Ce vallon boisé du Comminges provenait de la donation de Raimond-Guilhem de Couts (1168) et de celle de Bernard de Couts (1169); il ne servit pendant longtemps que de « terrain de parcours » pour les troupeaux de la commanderie. A la fin du XIIIe siècle, de nombreuses bastides (ou villages de colonisation) s'édifièrent dans la contrée. Le commandeur (ou précepteur, le titre est indifférent !) de Montsaurès, Cérébrun de Pins, s'associa avec Raimond d'Aspet, seigneur du lieu, pour créer une bastide à Plagnes, après défrichement des bois. La charte de franchise de ce village (établie en 1303, donc peu avant la disparition du Temple) est vraiment passionnante à étudier. Le territoire attribué était divisé en lots pour bâtir des maisons (avec un jardin individuel), en lots de terres labourables où l'on avait le droit d'ériger des bordelia (granges-étables), avec une zone commune de pacage pour le bétail. Les colons bénéficiaient d'un statut très libéral : garantie absolue de la liberté personnelle, exemption de nombreuses redevances et du service de guet, autogestion assurée par quatre consuls et quatre conseillers jurés, il est vrai sous le contrôle d'un bayle représentant les coseigneurs : en l'espèce le commandeur de Montsaunès et Raimond d'Aspet. Un code définissait avec précision les crimes et les délits, et leurs punitions : ici, l'on reconnaît l'esprit méthodique des templiers! L'ensemble des franchises de Plagnes apparaît comme très en avance sur l'époque; aucun des anciens villages ne disposait d'autant d'avantages. Il est probable que, dans leur réalisme, les templiers voulurent attirer ainsi la clientèle. Ce n'est qu'un exemple, mais qui s'inscrit contre la thèse qui consiste à nier la politique agricole des templiers, à prétendre que la terre ne les intéressait que par ses revenus et qu'ils lui préféraient les dîmes et autres droits plus faciles à recouvrer et d'un produit plus constant. Nous reviendrons à Plagnes à la fin de cet ouvrage.

En *Languedoc,* ainsi que le souligne Gérard, les commanderies templières fleurirent dès les débuts de l'ordre, de même qu'en Provence et en Espagne, par suite de la proximité des Sarrasins. Gérard indique que les templeries de Carcassonne et de Brucafel furent fondées dès 1132-1133, Mas-des-Cours en 1136, Pieusse en 1139, Pomas en 1138, Esperaza en 1140, Saint-Jean-de-Carrière en 1153, dans le seul Languedoc. Il a plus spécialement étudié la commanderie de *Douzens* (Aude) dont il a publié le magnifique et fructueux cartulaire. Je ne peux que renvoyer le lecteur curieux du passé à ce texte. Comme à Montsaunès, Douzens naquit de la générosité des seigneurs locaux, en 1133. C'étaient les Barbeira et les Canet, bientôt imités par le plus haut seigneur de la contrée, en la personne du vicomte

Roger de Béziers. Comme à Montsaunès, les propriétés templières s'agrandissent par donations, gratuites ou rémunérées, échanges et achats. Elles s'accompagnent de droits. Une particularité : les templiers cherchent à acquérir les moulins que l'on a construits sur les rives de l'Aude et dont l'exploitation est avantageuse.

Les donations

L'étude de ces cartulaires suscite plusieurs remarques de portée générale. La première est que le principal mode d'accroissement des richesses de l'ordre fut, cela tombe sous le sens, la donation, mais que celle-ci a pris diverses formes et qu'elle a recouvert parfois des opérations juridiques qui, de nos jours, recevraient une autre appellation. La seconde est que, fastueuses et répétées au cours du XIIe siècle, les donations tendent à s'amenuiser pendant la première partie du XIIIe et commencent à se raréfier à partir de 1250. S'agit-il d'un refroidissement de l'opinion à l'égard des templiers ? Les premiers soupçons atteignent-ils déjà la réputation de l'ordre ? Il semble que non, en dépit de certaines critiques provoquées par l'âpreté de quelques commandeurs ou par les conflits avec le clergé relativement à la perception des dîmes. Cependant, les grandes familles, comme les petits et moyens seigneurs, ne montrent plus la même générosité. Ce n'est pas que l'ordre ait démérité à leurs yeux, mais, dans l'ensemble, ils sont moins riches ; les croisades successives les ont sensiblement appauvris. En outre, depuis la chute de Jérusalem, la Terre sainte est considérée comme perdue, l'esprit de croisade est en plein déclin, en dépit et peut-être à cause de la malheureuse aventure de saint Louis à Mansourah. On n'ose pas rendre les templiers responsables de ces revers, pas encore ! Mais on estime avoir assez fait pour eux, vu la tournure décevante des événements. Enfin, ce n'est pas sans envie que l'on voit s'augmenter les propriétés de l'ordre, ni sans se demander : pourquoi sont-ils si riches ? A quoi désormais leur sert cette richesse ? Un murmure qui mettra cinquante ans à se changer en cris de haine et de mort...

Mais revenons en arrière, c'est-à-dire à l'époque où les donations pleuvaient sur les commanderies. On comprend qu'en entrant au Temple l'homme riche voulût apporter quelque bien, une sorte de dot : comme le fit le comte de Comminges à Montsaunès. On comprend aussi ceux qui donnaient en se réservant d'être admis au Temple *in extremis* et dont le cadavre recouvert du manteau blanc serait inhumé dans le cimetière templier. Mais les autres ? Il faut rappeler, une fois encore, combien en ce temps-là la foi était ardente et profonde, vécue, mêlée aux actes quotidiens, combien présente la crainte de l'enfer et du démon et combien fort l'espoir du paradis ! La donation, quand elle avait un caractère gratuit, procédait, directement ou non, du concept religieux, même quand on donnait par admiration (informulée ; différemment, ils n'eussent pas accepté !) pour les templiers. On leur faisait un don par charité chrétienne, puisqu'ils se disaient pauvres chevaliers du Christ et que, de fait, aucun d'eux ne possédait rien en propre. Mais beaucoup plus souvent *pro amore Dei et remissione peccatorum*, « pour l'amour de Dieu et la rémission des péchés », et, parfois, en reconnaissance de quelque service rendu. Mais il arrivait que les donateurs, tout en désirant s'acquérir des mérites spirituels et dans l'espérance de profiter des prières du Temple, n'avaient pas les moyens d'aliéner un bien sans compensation. Dans ce cas, la charte devient une donation-vente : donation pour une partie et vente pour le reste moyennant versement d'une indemnité. Il arrivait aussi que le donateur retînt un droit ou un loyer, et la donation devenait alors une sorte de bail emphytéotique. En d'autres cas, la dona-

131

tion paraît recouvrir un prêt garanti par un bien foncier, et elle ressemble à un prêt hypothécaire.

Mais le terme de donation recouvrait également un bail à cens (cession d'une terre contre un loyer en argent ou en nature), ou même un acte d'échange, ou l'acte singulier qui consistait à donner un serf, sa famille, sa maison et son jardin, ou plus exactement les droits que l'on pouvait détenir sur cet homme (et que l'évolution sociale avait heureusement amoindris au XIIIᵉ siècle). Ou encore l'acte de se donner au Temple : être « donnat » du Temple, c'était bénéficier d'une sérieuse protection, d'exemptions nombreuses, mais l'héritage restait à l'ordre ! Il est évident que ces opérations ne furent pas toutes exemplaires. Que certains frères, peu scrupuleux sur les moyens, réussissaient un peu trop bien, sollicitaient un peu trop les donations et finissaient par s'attirer des reproches, tout en croyant bien faire puisqu'ils travaillaient, non pour eux, mais pour l'ordre et finalement pour Dieu ! Car ce qui frappe dans leur manière de procéder, c'est la fermeté du dessein, c'est la continuité dans l'action, l'habileté et la patience pour rassembler des biens épars et constituer des exploitations rentables plus faciles à cultiver, autrement dit leurs méthodes de remembrement. De même déboisaient-ils quand ils le jugeaient opportun; aménageaient-ils des étangs et drainaient-ils les champs inondés. Il incombait aux commanderies de l'Occident de faire des bénéfices pour remplir le trésor. En soi la richesse n'était rien pour les templiers.

Deux exploitations

Les terres éloignées de la commanderie étaient données à bail à des « vilains » dont le statut social, notons-le au passage, leur permettait déjà d'acquérir des biens, et même suffisamment pour épouser dans la bourgeoisie citadine. Au contraire, le domaine entourant la templerie était exploité directement, sous le contrôle des frères sergents. De plus, c'était dans les greniers de la commanderie que l'on rassemblait le produit des dîmes et des redevances en nature. On y trouvait donc des serviteurs de différentes spécialités, un cheptel ou un outillage. L'étude de deux inventaires, l'un publié par Lizerand pour la commanderie de Baugy, l'autre par l'abbé Pétrel pour la commanderie de Payns, nous donnent une idée assez exacte de l'organisation interne des templeries agricoles, de leur mobilier et de leur richesse.

Lorsque, le vendredi 13 octobre 1307 — jour même de l'arrestation des templiers — Jean de Verretot, bailli de Caen, dressa l'inventaire de la commanderie de Baugy (Calvados, commune de Planquery, canton de Balleroy), la situation se présentait comme suit :

Sur le domaine en gestion directe de la maison, on dénombre 14 vaches à lait, tant laitières que pleines, 3 génisses, 1 bouvillon, 8 veaux, 2 grands bœufs et 3 aumailles (ce terme désigne généralement le gros bétail; il s'agit sans doute ici de taureaux), 98 porcs, une truie allaitant 8 pourceaux, 1 pourceau de plus d'un an, 8 juments de harnais, 8 poulains, le cheval du commandeur et 5 roncins (chevaux de labour et de traction).

Autour de la commanderie, 18 acres ensemencés de seigle et de froment, 24 en orge et dragée (fourrage), 15 en avoine, 14 en pois, 6 en vesce.

Il restait 4 charretées de foin, sur 8 au grenier. On attendait la rentrée de diverses rentes en froment, en orge et en avoine. La récolte de chanvre fut estimée à cent sous. Il y avait dans la dépense du lard et du bœuf dans des charniers, de la bière et de la cervoise (pour les valets et serviteurs), la moitié d'un tonneau de vin et quelques pains.

Le matériel agricole se composait de 3 charrettes ferrées et de 3 charrues.

Les pièces de volailles étaient si nombreuses, et sans

doute de si peu de valeur, que l'on ne prit pas la peine de les compter, même les oies.

La cuisine, dont on devine les dimensions, était garnie de ses ustensiles : poêles, grils, pots de terre et de métal, chaudières, récipients de toute grandeur, crémaillères, trépieds. Le cellier contenait une douzaine de pintes et de quarts d'étain, 6 tonneaux vides, divers bassins et le matériel à brasser la bière.

Au dortoir et en d'autres chambres, il y avait 20 lits de plume, avec leurs draps, certains munis d'une couverture. Dans les coffres, 14 nappes et 30 verges de toile non encore coupée.

La chapelle ne devait pas être très luxueuse, car les agents du bailli se contentèrent de noter, sans autre précision, qu'elle contenait des livres, du linge et des parements d'autel, outre les vêtements d'église.

Par contre, ils relevèrent avec soin tout ce qui fut découvert dans la chambre du commandeur : on sent que leur curiosité était en éveil : ils s'attendaient sans doute à trouver une grosse somme ou des objets précieux ! Il y avait trois hanaps d'argent massif, un hanap d'onyx à garniture d'argent fort usagé et des hanaps de bois, un lit avec ses deux linceuls et sa couverture, une pièce de bougran (c'était une soierie assez belle) et une autre couverture indigo destinée à l'un des frères et achetée récemment. La garde-robe du commandeur comprenait 3 surcots fourrés, 4 cottes, 3 manteaux et une chape de pluie. Dans une « huche », on trouva diverses pièces de vêtements, dont une tunique de femme : elles avaient été mises en gage contre des prêts consentis par la maison, et le commandeur donna les noms de leurs propriétaires. Il n'y avait pas d'argent liquide, car on venait d'effectuer divers paiements.

L'inventaire ne précise pas combien il y avait de frères à Baugy. En revanche, il indique qu'un chapelain et un clerc étaient attachés à la maison, et donne les noms de tous les serviteurs : 1 vacher, 1 berger, 1 garde des poulains, 6 laboureurs (que l'on appelait gardes de charrue), 1 portier, 1 boulanger, 1 brasseur-cuisinier, 2 valets de chambre, 1 forestier, 1 portier, 3 servantes de laiterie (pour fabriquer le beurre et le fromage), 1 porcher en second, 1 valet au service du commandeur, 1 pâtre pour les oies, et 3 vieux serviteurs de la maison comptés comme rationnaires, — soit au total 25 personnes qu'il revenait au syndic royal de nourrir et de rémunérer, en attendant que soient décidées la dissolution du Temple et la dévolution de ses biens. On comprend dès lors la minutie de cette énumération, et le fait que les nom, prénom et fonction de chacun de ces serviteurs aient été couchés sur le papier. Quant à nous, nous retiendrons simplement la composition de la « mesnée » de Baugy. Elle était adaptée au mode de culture et d'élevage du temps et montre, en tout cas, que les templiers ne se contentaient pas de louer leurs terres, mais qu'ils les exploitaient eux-mêmes quand ils y trouvaient leur compte.

Les documents sur la commanderie de Payns sont encore plus complets. Il s'agissait de la maison fondée par l'illustre Hugues de Payns, premier maître du Temple. Elle était située à 12 kilomètres de Troyes. L'abbé Pétrel a en effet publié les comptes de gestion de deux syndics royaux : Jean de Hulles et Thomas de Savières, le second assorti d'un inventaire assez détaillé.

Il ressort de ces documents que la templerie de Payns récoltait annuellement 745 boisseaux de froment, 92 de méteil, 2 290 de seigle, 804 d'orge et d'escourgeon, 5 636 d'avoine, 12 muids de vin. Qu'elle fabriquait 84 gros fromages et tirait 120 quartes d'huile de ses plantations de noyers. Elle possédait aussi une dizaine de ruches dont on vendait en partie le miel.

Toujours sur l'ordre de Philippe le Bel — mais nous reviendrons sur ce point capital ! — Thomas de Savières liquida le cheptel. Il se composait de 54 bœufs et vaches, 25 pourceaux, 8 gros porcs et une truie, 4 chevaux de trait et 855 moutons.

La mesnée (la maisonnée) ne comptait pas moins de 27 serviteurs : 14 bouviers, 6 bergers, 3 charretiers, 1 cuisinier-fournier, 1 granger, 1 portier et 1 vacher. On relève aussi la présence d'une « sœur » templière et de sa servante, et d'une sorte de majordome, le claserier (ou porteur des clefs de la maison). Ce personnel n'était pas entièrement attaché à la commanderie. Il se louait par périodes renouvelables, de la Saint-Jean à la Saint-Martin, et l'on connaît, par les comptes de Thomas de Savières, le montant des rémunérations. Le granger touchait 25 sols, en raison de ses responsabilités de garde des récoltes, et le berger 5 sols. Il est probable que ces salaires étaient alors convenables, d'autant que l'on était nourri et couché, car les hommes de Philippe le Bel s'empressèrent de les réduire, bien que le travail restât le même après le départ des templiers.

Mais quelle était la nourriture ? Du pain de seigle pour les serviteurs et du pain bis pour les frères (en supposant que les régisseurs du roi aient observé le même régime, ce qui paraît douteux !). Le pain était un mélange de seigle et de froment. Pour les grandes fêtes religieuses, on servait du pain blanc que l'on achetait à un boulanger. Pain de seigle et pain bis étaient pétris et cuits par le fournier de la maison. Le porc était à discrétion ; on le « baquait » dans de grands saloirs en lesquels il était conservé. De même les légumes qui provenaient du jardin. De même les fromages, à base de lait de brebis. La viande de boucherie (bœuf et veau) n'était servie que dans les grandes occasions ; comme le pain blanc, on l'achetait à l'extérieur. Que buvait-on ? De l'eau, peut-être de la cervoise. Toutefois neuf serviteurs, nommément désignés, avaient droit au vin : la sœur templière et sa « béasse » (sa servante), le claserier, le fournier, le principal charretier, etc. Bien entendu, le syndic royal s'empressa de mettre tout le monde à l'eau, se réservant probablement la cave.

Comme à Baugy, la vaste cuisine était munie de tous

les accessoires, mais les syndics mentionnèrent en outre deux grandes tables avec leurs bancs, des buffets, des coffres, des barriques et des cruches à vin.

La chapelle devait être bien pourvue, car ils trouvèrent 3 ornements d'autel, 2 croix de Limoges (émaux sur cuivre), 1 croix d'argent, 1 ciboire d'argent, 2 aiguières (une en cuivre, une en étain), 4 chandeliers dont 2 en cuivre, 1 calice d'argent doré, 3 reliquaires, 2 boursettes de soie contenant aussi des reliques, 3 nappes d'autel, 1 missel, 1 psautier, 1 antiphonaire, 1 bréviaire et 1 ordinaire (ouvrage liturgique réglant les offices quotidiens).

Dans la chambre du commandeur et dans le dortoir, hormis les lits et les ustensiles de toilette (1 bassin lave-mains, 1 bassin de barbier...), il n'y avait rien de luxueux, sauf une courtepointe qui était une couverture de parade. On est bien obligé de constater que ni les frères, ni le commandeur ne recherchaient le confort et l'agrément. Hormis les ornements de la chapelle, destinés au service de Dieu, il n'y avait que l'indispensable. L'installation matérielle des serviteurs ne différait guère de celle des frères non plus que la nourriture, car, si la règle prévoyait deux ou trois plats pour les frères, contre un pour la mesnée, ils ne pouvaient prendre que d'un seul. Encore les frères étaient-ils astreints à des jeûnes dont les serviteurs étaient dispensés. Si l'on ajoute à ces considérations le fait que les salaires étaient corrects et régulièrement payés, on peut en déduire que les templiers ne devaient pas manquer de main-d'œuvre. D'autant plus que leurs serviteurs participaient eux aussi aux bienfaits spirituels de la maison et bénéficiaient de sa protection effective. Ils portaient la croix du Temple, dont le bétail était également marqué, et peut-être les charrettes.

Une commanderie citadine

A *Provins,* les templiers possédaient deux[1] commanderies : celle de Val-de-Provins située hors les murs comme son nom l'indique, et celle de la Madeleine, dans la ville haute, près de la porte de Jouy. La maison du Val avait des activités agricoles, celle de la Madeleine, des activités commerciales. De fait, en raison de l'étendue de leurs biens, de l'importance et de la complexité de leurs droits et redevances, les frères de Provins avaient dû se spécialiser. La formation du Temple dans cette ville n'appelle pas d'observations particulières; elle est analogue à celles de quasi toutes les commanderies importantes. Là comme ailleurs, les donations d'un grand seigneur entraînèrent les donations plus modestes de la noblesse locale et de la bourgeoisie. A Provins, les grands bienfaiteurs furent les comtes de Champagne et de Brie. Au XIIIe siècle, le domaine immédiat des templiers s'étendait au nord, au sud et au sud-est de la ville, composé de terres cultivées, de prairies, de vignes et de bois. Mais l'ordre possédait également des terres dans les paroisses environnantes, ainsi que des parts de forêts. Toutefois leurs ressources principales ne provenaient pas de l'agriculture, et c'est en quoi Provins retient notre attention.

Les templiers étaient propriétaires de soixante-dix maisons et boutiques, la plupart pourvues de jardins et situées dans les rues les mieux achalandées de la ville. Ils tiraient de la location de ces immeubles un revenu substantiel et régulier. De la commanderie du Val dépendaient le moulin dit « du Temple » et les moulins de la Varenne dont le rapport, excellent, s'ajoutait au droit de fournage. En effet, quand on faisait moudre du blé, on versait un droit de mouture et, comme on était obligé de cuire son pain au four templier, il fallait aussi

1. Et même trois, si l'on ajoute la maison de Sainte-Croix.

138

donner un droit de fournage. En principe, seules les personnes relevant du Temple à un titre quelconque avaient la possibilité de faire moudre et cuire dans les établissements de l'ordre. Mais, comme les templiers eurent l'habileté d'instaurer des tarifs plus avantageux, leur clientèle s'accrut au point de provoquer la plainte des bourgeois de la cité, accusant en somme le Temple de concurrence déloyale. Ils tiraient aussi le meilleur rapport des poissons qui foisonnaient dans les biefs de leurs moulins. Ils vendaient enfin directement leur vin dont le cru était réputé. Comme ils étaient exemptés du droit de portage (droits de tonlieu, de transport, d'entrée et de mise en perce), le nombre de barriques s'accrut au point qu'il provoqua également des plaintes et que les comtes durent sévir!

Ce n'était là pourtant que les plus ordinaires de leurs activités. Les foires de Provins étaient alors célèbres et quasi internationales : la foire de mai durant quarante-six jours; la foire Saint-Martin, tout le mois de novembre. En outre, on tenait marché chaque mardi dans la ville haute ou au château. Il se faisait, dans cette ville, un commerce, énorme pour l'époque, de laine, de fil et de cuir, sur lequel les comtes de Champagne prélevaient une sorte de T.V.A. appelée droit de tonlieu. Ayant de gros besoins d'argent, le comte Henri céda ce droit aux templiers. A partir de là, il ne se vendait pas une pelote de fil, une balle de laine, un drap, une couette, qu'ils ne prélevassent une taxe. En 1214, ils achetèrent à Guy de Montigny le tonlieu sur la viande et les animaux de boucherie. En 1243, le tonlieu des peaux : or il y avait alors à Provins cent vingt-cinq ateliers de cuir. Ils ajoutèrent à cet inquiétant monopole le droit de minage qui frappait le commerce des grains. Simultanément, ils avaient annexé les boutiques à fruits du vieux marché, cependant que les denrées provenant de leurs terres étaient vendues directement dans la ville.

La plus grande partie de ces bénéfices allait évidemment au trésor de l'ordre, pour être employée à la défense des châteaux de Terre sainte. Mais les excédents? Les templiers de Provins les consacraient à acquérir des biens immédiatement rentables, de nouvelles dîmes, des revenus certains et réguliers. Ils consentaient même des prêts, non point usuraires, au contraire à très faible intérêt, mais garantis par une sorte d'hypothèque : en cas de non-remboursement, le bien revenait au Temple. Ces prêts donnaient lieu à deux sortes de contrats bien connus des médiévistes et des historiens du droit : le mort-gage où l'emprunteur cédait la nue-propriété à son créancier jusqu'à la date fixée pour le remboursement de la dette; le vif-gage où les fruits et revenus étaient affectés à l'amortissement. Cependant, quel que fût le type de contrat et malgré « les bienfaits et courtoisies du Temple », la plupart du temps, l'immeuble gagé lui restait en pleine propriété. Il en allait de même quand on demandait aux frères de se porter caution; c'étaient des administrateurs trop avisés et ils eussent encouru des peines trop graves en cas de dommage pour la maison, s'ils n'avaient pris leurs précautions. Quelles étaient celles-ci? La « courtoise » mise en séquestre de quelque bien de valeur, ou de quelque droit d'un bon rapport. On comprend, dès lors, qu'ils n'aient pas été aimés par tout le monde, en dépit de leur réputation, de leurs sacrifices très réels et de leurs exploits en Terre sainte. Pourtant les templiers de Provins, avec leurs agents fiscaux, leurs boutiquiers, leurs registres de comptes, ne croyaient pas méfaire! Ils n'étaient ni mieux nourris, ni mieux vêtus que les autres frères, ni dispensés de faire maigre ou pénitence. Les seuls exploits qu'ils pussent revendiquer, c'était de contribuer à l'enrichissement de l'ordre par leur zèle et leur intelligence. Leur pauvre service, d'encaisser les taxes de tonlieu, sans relâcher d'un instant leur surveillance au milieu de la cohue des foires. Leur fierté pourtant n'était pas moindre que celle de leurs frères combattants. La gloire et la puissance du Temple, ils en constituaient le support, et ils le savaient, peut-être un peu trop.

Paris, banque templière

La maison du Temple de Paris devint le chef-lieu de la province de France et fut, pendant quelques années, la résidence du maître de l'ordre, autrement dit la maison chevetaine après la chute de Saint-Jean-d'Acre. C'était d'abord, par sa situation et ses domaines propres, la première commanderie française. Elle possédait, dans la ville, outre le vaste « Enclos du Temple », des rues entières. L'Enclos était entouré de remparts; en son centre s'élevait le puissant donjon dont l'aspect inchangé a été popularisé par l'image en raison de la captivité de Louis XVI, de Marie-Antoinette, du dauphin Louis XVII et de la famille royale en 1793. A la vérité, quand on examine cette puissante forteresse, on se demande pourquoi les templiers l'édifièrent. Elle égale les plus forts de leurs châteaux de Terre sainte, et les dépasse peut-être. Or, en pleine ville et sous la bienveillante protection des rois de France, que risquaient-ils ? Etait-ce pour eux une façon d'affirmer la grandeur de l'ordre, voire de défier les rois ? Mais ceux-ci ne cessèrent pas de les combler d'honneurs et de privilèges. La seule explication logique tient à ce que la grande commanderie parisienne était la banque centrale de l'ordre, en même temps que le dépôt habituel du trésor royal : une sorte de Banque de France avant la lettre. Ce donjon, ces tours, cette ceinture de remparts correspondaient donc à une nécessité : il importait extrêmement, pour la bonne réputation du Temple, que l'argent versé par les commanderies, ou déposé par le roi et les grands du royaume, fût à l'abri d'un coup de main. Le temple de Londres, qui assumait le même rôle pour l'Angleterre, n'avait-il pas été forcé et ses coffres, fracturés ! On ne saurait cependant nier tout à fait l'intention d'affirmer la puissance templière, son rang élevé dans la hiérarchie féodale.

La tour du Colombier — que le peuple appelait la tour de César, comme à Provins et ailleurs! — était la plus ancienne; elle avait été élevée dans le dernier quart du XIIe siècle. Le donjon, qui était de la seconde moitié du XIIIe siècle, était une grosse tour carrée, flanquée de quatre tourelles à ses angles et coiffé d'un grand toit pyramidal couvert en tuiles. Il avait 50 m de hauteur, 19,50 m de longueur et 13,50 m de largeur, avec des murs de 2,27 m d'épaisseur. Le diamètre de ses tourelles dépassait 5 m. Cet imposant édifice se divisait en quatre étages, sans compter l'étage supérieur formant chemin de ronde, la toiture prenant appui sur les créneaux. Les salles principales étaient voûtées en croisées d'ogives.

Au XIIIe siècle, la chapelle de la commanderie, bâtie en rotonde à l'image du Saint-Sépulcre de Jérusalem et voûtée « en ombelle », était devenue une église importante, par suite des agrandissements et des ajouts successifs. La rotonde primitive était pour ainsi dire noyée dans l'ensemble, à peine distincte. Le Temple de Londres ayant aussi sa chapelle en rotonde, on a longtemps cru que c'était là le style propre aux templiers et l'on a échafaudé des théories aussi fragiles que brillantes sur leur architecture. Dans la réalité, un peu partout en Europe, des architectes qui n'appartenaient pas au Temple et ne travaillaient pas pour lui, imitaient aussi le Saint-Sépulcre. Ceux qui ont visité des commanderies en plusieurs régions, ont pu se rendre compte que les templiers n'avaient au contraire point de style qui leur fût propre. Ils recherchaient la simplicité par esprit d'économie, et la solidité par goût. Pour le reste, ils suivaient la mode particulière des provinces où se trouvaient leurs maisons, et celle de l'époque à laquelle ils appartenaient. C'est ainsi qu'ils bâtirent des chapelles de pur style roman, et d'autres de style gothique. De même eurent-ils, par la force des choses, des

142

chapelles typiquement charentaises, méridionales ou champenoises. Tout au plus pourrait-on relever leur inclination pour les motifs végétaux, feuilles de lierre et de chêne principalement. Semblablement, les templeries beauceronnes, comme Sour, présentaient-elles tous les caractères des grandes fermes de la région, et les templeries languedociennes étaient-elles analogues aux bastides que l'on peut voir encore aujourd'hui. L'allure militaire, la rigueur des lignes tiennent à l'absence de recherche, d'ornement : mais si, lors de la donation, un bâtiment portait quelque décoration, on la respectait. Le manoir était-il fortifié, on maintenait, on entretenait même, tours et remparts, mais sans rien y ajouter, car, en Occident du moins, que pouvait-on craindre ?

A Paris, c'était un autre problème, et d'autant que la population des abords immédiats de la commanderie ne jouissait pas d'une excellente réputation : des aventuriers de tout poil se mêlaient, par la force des choses, aux artisans et boutiquiers relevant de façon ou d'autre du Temple. Un seul exemple : l'actuelle rue des Francs-Bourgeois, toute proche de l'Enclos, était alors une cour des miracles où, chaque nuit, on se battait et on s'égorgeait allégrement ! Comme à Provins, mais dans des conditions plus difficiles, les frères au blanc manteau louaient maisons et boutiques, vendaient les produits de leurs fermes par personnes interposées; ils possédaient même, par privilège des rois, des boucheries dont les tarifs trop raisonnables portèrent atteinte aux intérêts de la corporation des bouchers de Paris, d'où plaintes véhémentes, etc.

Ce n'est pas cela qui singularise la maison de Paris, mais son activité bancaire et sa spécialisation exemplaire en ce domaine. Les comptables du Temple égalaient les banquiers lombards en astuces et en connaissances, mais avec une obligation de probité à laquelle ces derniers n'étaient pas tenus. Le trésorier du Temple de Paris assumait avec bonheur les délicates fonctions de conseiller financier des rois de France, précisément dans une période où ces princes s'efforçaient de créer une administration efficace, sans en avoir les moyens. Les sommes considérables qu'il détenait lui permettaient, non seulement de consentir des avances au roi et d'entretenir les châteaux de Terre sainte, mais de procéder à de complexes opérations dont les bénéfices augmentaient la fortune de l'ordre.

Mais quelle était la provenance de cet argent ? Tout d'abord, le Temple de Paris disposait du revenu de ses domaines et de ses droits, comme toutes les commanderies, sauf que ce revenu était énorme. Ensuite les commandeurs de toutes les maisons, grandes ou petites, avaient l'obligation de verser, à intervalles réguliers, les excédents de leur exploitation. Il est à peine besoin de préciser que leur gestion faisait l'objet de contrôles sérieux et que les déficits n'étaient pas appréciés. En outre, depuis Philippe Auguste, le Temple de Paris conservait le trésor royal, c'est-à-dire le montant des rentrées d'impôts. Lorsque le roi recouvrait un impôt extraordinaire, il chargeait fréquemment les templiers de son recouvrement. Ce rôle de garde du trésor évolua rapidement, de sorte que le trésorier du Temple devint le gestionnaire des fonds de l'Etat, d'où son entrée au conseil. L'organisation tentaculaire de l'ordre (prieurés, baillies, commanderies) facilitait les opérations en ce qu'elle coïncidait à peu près avec les bailliages royaux. Enfin, une clientèle de plus en plus nombreuse − de seigneurs, de pèlerins, de négociants − confia au Temple des dépôts importants. A vrai dire, ce n'était point une nouveauté que de déposer de l'argent ou des bijoux à un couvent ou à une église, en raison des immunités et protections dont jouissaient les établissements religieux, et, bien sûr, de leur réputation d'intégrité. La puissante forteresse bancaire du Temple de Paris ajoutait à la sécurité; elle donnait confiance : moins encore toutefois que l'habileté et la rectitude en affaires du trésorier et de ses collaborateurs. L'originalité des templiers, par rapport aux autres communautés religieuses, fut d'imiter les banquiers italiens en donnant à l'argent une mobilité, des possibilités qu'il n'avait pas encore. Mais sans doute convient-il d'entrer un peu dans le détail, au risque de paraître rébarbatif !

Quand un client déposait une somme au Temple de Paris, on lui ouvrait une sorte de compte courant, et l'on se chargeait, suivant ses ordres, d'effectuer tel ou tel versement. On se chargeait aussi d'encaisser ses revenus, comme les sommes qui lui étaient dues en exécution de contrats ou en remboursement de dettes. Les comptes en recettes et en dépenses étaient arrêtés trois fois par an : à l'Ascension, à la Toussaint et à la Chandeleur. Le trésor royal était lui aussi, dans ses débuts du moins, une sorte de compte courant ! La clientèle établissait des « mandats » de payer, dont le libellé, de plus en plus restreint et quasi lapidaire, les a fait comparer, non sans raison, à de véritables chèques. Ces mandats étaient payables, non seulement à la caisse de Paris, mais dans les commanderies. Leur réseau couvrait à peu près toute la France. Aperçoit-on la commodité, la nouveauté de ce processus ? De la même manière pouvait-on, sans transporter de fonds, faire virer une somme d'une commanderie à l'autre, du Temple de Paris à celui de Londres ou de Saint-Jean-d'Acre. Par extension, lorsque deux clients avaient leurs comptes courants à la banque templière, les paiements réciproques devenaient un simple jeu d'écritures.

Disposant ainsi d'une considérable masse de manœuvre, le Temple était à même de consentir des prêts, ce qui soulève une question épineuse. En principe l'Eglise était opposée aux prêts rémunérés, l'intérêt pratiqué par les banquiers étant le plus souvent usuraire. En fait, elle ne pouvait interdire entièrement ces pratiques. Il existait d'ailleurs un moyen de tourner l'interdiction : on prélevait l'intérêt sur le montant du prêt, autrement dit on majorait fictivement la dette. Que les templiers aient agi de la sorte, c'est probable, bien qu'ils aient consenti des avances sans intérêt ni majorations aux rois de France, cela ne fait pas de doute; ils tiraient trop d'avantages, directs et indirects, d'être les banquiers de l'Etat. De façon générale, ils manifestaient une extrême prudence, ne prêtaient qu'à des clients solvables. Ils exigeaient une caution dont la valeur recouvrait au moins le montant de l'emprunt. Le roi Jean sans Terre voulant emprunter 3 000 marcs aux templiers fut obligé de déposer le poids en or de cette somme. Le plus souvent, comme on l'a indiqué plus haut, c'était une propriété foncière qui constituait la sûreté et restait au Temple en cas de non-remboursement. Enfin, lorsque le remboursement n'intervenait pas à la date fixée, l'emprunteur devait verser une amende.

La réputation de probité des templiers était si grande que les plus grands personnages sollicitaient leur caution. Nous les connaissons assez bien désormais pour savoir qu'ils n'accordaient pas cette garantie, engageant à la fois l'honneur et les finances de l'ordre, sans prendre leurs précautions et sans en tirer quelque profit. On leur confiait aussi les biens mis sous séquestre en attendant l'exécution d'un contrat. C'est ainsi qu'en 1158, lors des fiançailles du fils du roi d'Angleterre et de la fille de Louis VII, ils eurent la garde des trois châteaux inclus dans la dot de la fiancée (dont le fameux château de Gisors qui a fait couler tant d'encre il y a quelques années !).

Le Temple de Paris était la résidence du dignitaire qui portait le titre de maître en France et qui était en somme le lieutenant du grand maître. Il était subordonné à un commandeur, de même que toute templerie. Mais le personnage finalement le plus connu et le plus honoré, c'était le simple frère chargé des fonctions de trésorier, en raison de ses contacts avec le roi, de son rôle au conseil et à la commission des Comptes.

Cette commission, ancêtre de l'actuelle cour des Comptes, tenait ses assises dans l'Enclos du Temple; elle contrôlait la gestion des fonctionnaires royaux.

Dans le même enclos fonctionnaient des guichets ouverts au public, encaissant et décaissant, recevant les dépôts et les paiements, payant les sommes dues, voire les rentes et pensions octroyées par le roi. Chacun des caissiers tenait sa propre comptabilité, non sans difficulté par suite de la diversité des monnaies. Les opérations étaient ensuite reportées sur des registres. Il n'y avait point alors de machines à calculer. On se servait d'échiquiers qui étaient des tablettes divisées en carrés sur lesquels on inscrivait les chiffres. De ces tablettes mathématiques, deux grands conseils de finances tirèrent leur nom : l'Echiquier de Normandie, l'Echiquier d'Angleterre.

Les templiers d'Angleterre et d'Espagne coopéraient, cela va sans dire, avec le Temple de Paris, consentaient eux-mêmes des prêts. Les uns et les autres gardaient aussi les trésors de leurs souverains respectifs. Cependant le véritable centre des activités bancaires de l'ordre était Paris. A ce titre, les templiers ont joué un rôle éminent du point de vue économique et social, et contribué, par leurs innovations hardies, à faciliter les échanges, donc à faire progresser le commerce. Il est, à nos yeux, très significatif que l'on ne retrouve aucune trace de plaintes portées contre leur gestion, même par les comparses de Philippe le Bel lors du procès. Il eût été pourtant commode d'ajouter à leurs crimes le vol au détriment de l'Etat, d'autant que l'on cherchait à les dépouiller « légalement » de leurs richesses.

SCHÉMA DE LA FRANCE TEMPLIÈRE

Il est possible, en s'aidant du cartulaire publié par le marquis d'Albon, d'établir une carte des possessions templières. Je l'ai tenté, mais ce n'est qu'une ébauche, d'un intérêt très relatif, et pour deux raisons. La première est que le cartulaire d'Albon ne recouvre qu'une partie de l'existence de l'ordre; la seconde, que de nombreuses chartes sont perdues. Nombre de lieux-dits dénommés « Le Temple » sont attribués à tort aux Templiers. Par contre, des templeries ne sont pas identifiées, et ne peuvent l'être faute de documents. Il est, à cet égard, extraordinaire qu'un département comme la Manche ne compte qu'une commanderie (Valcanville) absolument certaine, alors que des biens ayant appartenu aux templiers sont disséminés dans le Sud du Cotentin. Que la Bretagne, en dépit d'un très singulier folklore templier, soit dans une situation quasi semblable.

La prudence incite donc à ne pas émettre de conclusions hâtives, à s'en tenir à quelques considérations générales. Dans la répartition des templeries connues et importantes, on distingue deux zones principales et d'une densité à peu près équivalente : le quart nord-est de la France et, au sud, le pourtour de la Méditerranée. Dans la zone nord, il est évident que le concile de Troyes a joué un rôle déterminant, puisque, de Champagne, en très peu d'années, les possessions du Temple se sont étendues à l'Ile-de-France, la Picardie, l'Artois, les Flandres et la Franche-Comté. Sur la côte provençale, en Roussillon, dans les Pyrénées, il est non moins certain que la proximité des Sarrasins a largement accéléré les donations : la police templière, ses contingents immédiatement disponibles, étaient d'utilité publique.

Dans les autres régions, on peut constater que les templeries sont les plus nombreuses le long des grandes voies de communication et des chemins suivis par les pèlerins, surtout ceux qui se rendaient à Saint-Jacques-de-Compostelle. La surveillance des routes avait été, on s'en souvient, la première vocation des chevaliers du Christ. C'est le cas en Touraine, en Poitou, en Saintonge ou dans la vallée du Rhône.

Mais, le plus fréquemment, l'implantation initiale d'une commanderie ne résultait pas d'un choix délibéré. Elle était le résultat d'une donation généreuse, prenant aussitôt valeur d'exemple et provoquant une pieuse émulation. Ou bien, comme dans la région de Toulouse, d'un engouement populaire et général. Quoi qu'il en soit, au milieu du XIIIe siècle, le réseau des commanderies couvrait à peu près toute la France, articulé sur les baillies. Dans tous les marchés d'importance les templiers étaient présents. Ils s'étaient même installés dans deux ports : La Rochelle sur l'Atlantique et Marseille sur la Méditerranée.

CHAPITRE VIII

COMMANDERIES D'ORIENT

> *Templiers impurs, hospitaliers*
> *infâmes, chacun d'eux zélé et*
> *sans faiblesse, tous formant*
> *comme un nœud de vipères, ser-*
> *pents sous leur peau bigarrée,*
> *hommes roux aux yeux bleus sur*
> *leurs chevaux noirs...*
>
> (Imâd-ad-Dîn Al-Isfahânî :
> *Conquête de la Syrie et*
> *de la Palestine par Saladin,*
> traduit par Henri Massé.)

A La Rochelle relâchaient les navires venant d'Angle-terre et de Bretagne; de ce port appareillaient ceux qui devaient contourner l'Espagne pour se rendre en Syrie. Des ports méditerranéens, principalement Collioure et Marseille, partaient les nefs à destination de Jaffa. Les croisades eurent en effet pour conséquence immédiate de rétablir et d'intensifier le trafic en Méditerranée, interrompu sinon aboli par l'impérialisme musulman. Elles rouvrirent aux armateurs et aux négociants le marché d'Orient, et permirent l'importation de denrées et de produits inconnus en Europe ou devenus très rares par suite de l'insécurité de la navigation. Les templiers, non plus que les hospitaliers, ne purent se désintéresser de ce renouveau commercial. En premier lieu, selon leur vocation particulière de protecteurs des pèlerins, ils armèrent des navires pour les transporter. Embarquer à bord d'une nef du Temple, ou de l'Hôpital, c'était payer moins cher et bénéficier du maximum de sécurité, tant par la qualité du personnel navigant choisi pour sa compétence que par celle du navire entretenu avec soin et par le fait qu'en cas d'attaque par les pirates barbaresques on était assuré d'être défendu avec vigueur. Par la suite, hospitaliers et templiers furent amenés à transporter des marchandises afin de compléter leur changement, à l'aller comme au retour. Là aussi, ils pratiquaient des tarifs avantageux. D'où plaintes des armateurs de Marseille perdant leur clientèle, et arbitrage (1234) suivi d'un accord limitant le nombre des bâtiments nolisés par les deux ordres à destination de la Terre sainte. Pour escorter leurs navires, surveiller le littoral syrien constamment menacé par les pirates et les flottilles adverses, conduire, l'occasion s'offrant, des opérations combinées (terre-mer), ils achetèrent ou firent construire des vaisseaux de guerre plus ou moins copiés sur ceux des Arabes et se trouvèrent bientôt à la tête d'une véritable flotte. Les hospitaliers poursuivirent d'ailleurs dans cette voie, et l'on sait les services que rendirent, pendant des siècles, les célèbres galères de Malte sillonnant inlassablement la Méditerranée. Il existait alors, contrairement à l'opinion reçue, toute une gamme de navires adaptés à des usages différents.

Les navires de transport étaient les nefs, buze-nefs et salandres, aux dimensions imposantes pour l'époque. Elles mesuraient une trentaine de mètres de longueur, huit mètres de largeur, portaient deux mâts et six voiles. Le mât de proue (avant) n'avait pas moins de trente mètres; le mât de poupe, vingt-neuf mètres. L'antenne atteignait trente mètres, ce qui est considérable ! Ces bâtiments transportaient trois cents personnes et plus, et l'on imagine l'entassement! Il existait une variété de navires particulière : les nefs-huissières (de huis, porte) où l'on embarquait les chevaux. Dans le flanc de ces navires s'ouvrait une porte à charnière, qui se rabattait sur le quai et servait de plan incliné pour l'embarquement des bêtes. C'étaient en somme des navires-écuries.

Les navires de guerre étaient des galères, inspirées de l'Antiquité. Elles avaient une quarantaine de mètres de longueur, sur six mètres de largeur. Le mode de propulsion était la rame. Les galiotes étaient dérivées des galères; elles naviguaient à la rame et à la voile et portaient une centaine d'hommes. Mais il y avait aussi des navires légers pour les coups de main, la reconnaissance, la transmission des ordres : les saeties ou saettis qui étaient des avisos rapides, les columbels qui étaient des « mouches », les gamels, ou ganguemels ou chamels (de l'arabe *djamel*, chameau) qui étaient des escorteurs, des barbotes, à faible tirant d'eau, aux pavois renforcés de plaques de fer, utilisés pour le siège des fortifications littorales et la défense des rades et que l'on pourrait comparer aux chaloupes-canonnières du XIXe siècle. Les templiers avaient leurs arsenaux à Saint-Jean-d'Acre et à Tyr. Cependant il faut souligner que les hospitaliers leur étaient supérieurs en ce domaine. La flotte de l'hôpital était si importante que cet ordre comptait, dès cette époque, vingt-deux « commandeurs de la mer ». Il faut ajouter que les connaissances arabes en mathématiques, en astronomie, profitèrent largement aux Occidentaux. La généralisation de la boussole, du sextant, de l'astrolabe remonte aux croisades, et le fait est significatif.

Notre jeune frère Jocelin, parmi d'autres chevaliers du Temple et sergents envoyés en renfort, s'embarqua donc à Marseille sur l'une des nefs battant pavillon de l'ordre et, après une navigation non exempte de dangers, il débarqua à Jaffa. Il stationna dans la commanderie de cette ville en attendant son affectation. Et, de là, il partit avec quelques-uns de ses compagnons, sous la conduite de chevaliers combattant depuis des années en Terre sainte, vers l'un des châteaux de l'ordre. Longue et périlleuse chevauchée à travers les terres riantes ou brûlées de ces contrées inconnues pour lui. Il était comme un pèlerin découvrant la Terre de Promission, au terme de son voyage. Il avait les yeux émerveillés du vieux chroniqueur Jacques de Vitry devant ces paysages nouveaux, cette flore, cette faune, ces visages, ces costumes, ces nourritures, ces architectures ignorés de l'Europe, devant ce ciel incomparable, et dans la traverse de ces villages ou de ces collines rappelant sans cesse à l'esprit la plus grande histoire de l'humanité, celle du Christ, de son enfance, de sa vie, de sa Passion! Il n'était pas jusqu'à la poussière soulevée par le vent ou le pas des chevaux, qui ne parût vivante et frémissante; jusqu'aux sources et aux bouquets d'arbres qui ne tinssent aux cœurs chaleureux, aux âmes émotives et bondissantes de ce temps-là, le fort langage du passé! Fouler cette poussière vénérable, se désaltérer à cette source, se rafraîchir à l'ombre de ces oliviers, c'était en quelque sorte un aboutissement. C'était prendre sa part au sauvetage spirituel de la race humaine, par imitation de Jésus. C'était aussi, après tant de fatigues et de rêveries, renaître de ses cendres comme le phénix, entrer dans une nouvelle vie, commencer sa propre résurrection et son envol. C'était enfin pour les templiers et leurs semblables le combat, si longtemps convoité, dont la fin heureuse serait le martyre, et, par là même, accomplir le vœu que l'on avait fait, certain jour d'hiver, dans une lointaine commanderie d'Ile-de-France, d'Auvergne, d'Aquitaine ou de Roussillon.

Tout était différent dans la Terre Absolue! Tout était à apprendre, et même le nom des choses! Il faut se plonger dans l'*Histoire des Croisades* de Jacques de Vitry, qui vécut cette expérience, pour comprendre l'étonnement des nouveaux venus, leur curiosité sans cesse en éveil, leur ravissement même, mais aussi leur défiance devant des populations bigarrées, des fruits mystérieux, des animaux étranges. Outre les essences croissant en Europe, on voyait des dattiers à l'écorce raboteuse, un tronc grêle s'évasant en ombelle; des arbres « de paradis »; des « pommiers d'Adam »; des citronniers dont les fruits jaunes contiennent un suc rafraîchissant le palais; les « figuiers de Pharaon »; les grands cèdres du Liban et les cèdres de mer. La gomme qui découlait des arbres entaillés, ce n'était point la simple sève d'Europe, acide ou sucrée, mais le baume, la myrrhe, l'encens, la térébenthine, le lentisque, l'adragant. Les arbustes et les plantes, c'étaient les cannes à miel (cannes à sucre), les cotonniers, le giroflier, le muscadier, le poivrier, etc.

Comme en Europe, on se nourrissait de légumes, de viandes et de poisson. On mangeait du bœuf, du mouton et des volailles. Mais on ajoutait aux nourritures des sauces empruntées aux cuisines arabes, du poivre blanc et noir, du gingembre, de la cardamome, du zédoard (citouart), du cumin, de la cannelle. On épiçait la bière avec du nard, de la muscade ou de la girofle. On épiçait les vins. On aromatisait le vinaigre. On mettait du jus de citron sur les viandes et les poissons. On terminait les repas par des confitures de Damas, des dragées au myrobolam ou au gingembre.

Comme en Europe aussi, on voyait des chevaux, des ânes, des mulets, des bovins et des ovins, des chiens et des chats, mais encore des chameaux et des dromadaires, des léopards domestiqués (on les utilisait dans les meutes), mais aussi, d'aventure, on pouvait rencontrer des lynx, des papions (chiens sauvages, plus féroces que des loups), des hyènes (dont on disait qu'elles imitaient la voix humaine pour attirer leurs victimes), et des lions. Cet animal était le seul que les templiers eussent le droit de chasser. Jacques de Vitry lui prêtait « une grande force dans la poitrine, dans les pattes de devant et la queue ». Selon lui : « Les petits demeurent, jusqu'au troisième jour de leur naissance, dans un état absolu d'insensibilité, et sont alors tirés de la mort par les rugissements de ceux qui leur ont donné la vie. » Et il ajoutait pour parfaite le tableau : « Le lion dort les yeux ouverts; avec sa queue il efface la trace de ses pas, afin de n'être pas découvert par les chasseurs... » Mais Jacques de Vitry avait aussi entendu parler des crocodiles, des hippopotames, des rhinocéros, des tigres et des « chimères » (les girafes !).

Donc, tout surprenait l'arrivant, et d'abord les costumes orientaux que la chaleur avait obligé les chrétiens à adopter, hommes et femmes. Ce n'étaient que tuniques, turbans et gandouras. Les guerriers, pour se protéger du soleil, enveloppaient leurs casques du couffiah, qui, échiqueté dans les batailles, donna naissance aux lambrequins des armoiries. Les femmes portaient des robes faites de deux tuniques superposées, en étoffes précieuses, brodées de fil d'or et d'argent, ou de perles. Les turbans des hommes étaient parfois de brocart, recouvert de mousseline et orné d'une agrafe d'or. Les chaussures avaient de longues pointes recourbées. Certains chevaliers laïcs arboraient de somptueux manteaux en morre de Tripoli, qui était une soie épaisse, analogue au satin, doublée de petit-gris, et qui devint en Europe la moire. Aucun palais d'Occident ne pouvait rivaliser avec le luxe insensé des châteaux de Terre sainte et même des maisons bourgeoises des cités, avec leurs patios, leurs jardins fleuris de roses et leurs jets d'eau, leur tapis « turquins » et leurs revêtements de faïence. Dans certaines d'entre elles, les chandelles étaient même de cire parfumée! Mais ces dehors trop aimables cachaient une réalité sinistre. La sensualité, l'abondance, l'oisiveté avaient amolli la forte race des conquérants. Il n'était que trop vrai que les Poulains n'avaient pas hérité des vertus de leurs aïeux. Les délices avaient tout corrompu, les chevaliers comme les bourgeois, et jusqu'aux prélats tondant leurs brebis au lieu de les paître; jusqu'aux moines et aux religieuses qui, se soustrayant aux règles de leurs couvents, fréquentaient les bains publics, mêlés aux personnes du monde. Ces hommes frivoles se dérobaient des femmes couvertes de bijoux, ou les lambeaux de l'ancien royaume de Jérusalem. Et l'ennemi était à quelques lieues, plein de haine et de menaces, mais n'osant encore attaquer parce que tenu en respect. Le royaume de Jérusalem, dans cette seconde moitié du XIIIe siècle, n'était plus qu'un corps pourri, mais défendu par une armure intacte, étincelante, qui le maintenait debout et faisait encore illusion. Cette armure, c'était la chevalerie monastique : les templiers, les hospitaliers et les teutoniques. Hormis ces derniers, personne en Terre sainte n'était plus en état, n'avait plus la volonté de se battre, si ce n'était pour de sordides questions d'intérêts. Car, en dépit d'une situation militaire quasi désespérée, le commerce ne cessait de prospérer. Vénitiens, Génois, Pisans, Marseillais se disputaient le marché. En ouvrant leurs riches comptoirs en Terre sainte, en exportant vers l'Europe des produits jusque-là rarissimes et réservés aux princes, ils avaient créé des besoins nouveaux, des modes nouvelles, et suscité une demande qu'ils s'empressaient de satisfaire. Mais que transportaient leurs nefs vers les ports occidentaux? Il faut le dire, au risque de paraître ennuyeux! Elles transportaient dans leurs gros ventres ronds le sucre extrait des « cannes à miel », du lin, de la soie, du coton, des épices, des poteries, des armes damasquinées, des orfèvreries, mais aussi des étoffes inconnues :

les cendreaux (toiles) de Chypre, les camelots ou cha-
melots de Tortose (étoffes épaisses en poil de chameau
ou de chèvre), les machebbahs de Mésopotamie, et les
tapis : turquins, soudans, égyptiens. Ou encore des
fourrures : la zibeline, la martre, l'hermine. Voire des
plumes d'autruche qui devenaient les plumails dont on
décorait les heaumes de tournoi. Et encore les fers du
Liban, justement réputés. Quel contraste y avait-il
entre les compagnons de Godefroi de Bouillon et ces
marchands et leurs acolytes si bien adaptés à la vie
orientale qu'ils se confondaient aisément avec les
autochtones ! Et pour les croisés qui continuaient à tra-
verser la mer pour secourir le pauvre royaume, quelle
déception !

Quelle amertume aussi pour ceux qui étaient capables de regarder et de comprendre ! Car, à l'esprit de
lucre, s'ajoutait l'esprit d'intrigue. Les convulsions poli-
tiques, les rivalités venaient aggraver la situation, qui
était celle-ci : après son échec en Egypte, saint Louis
avait fait un long séjour en Terre sainte. Sa présence,
son autorité apaisèrent un moment les querelles et, à
l'extérieur, en imposèrent – relativement – aux Sarrasins. Il récupéra certains territoires, il est plus juste
d'écrire : certaines zones d'influence, tant les frontières
étaient menacées par les raids ennemis. Il augmenta
les fortifications de Jaffa, de Césarée, de Sidon et de
Saint-Jean-d'Acre. Quand il se décida à partir de Terre
sainte, en 1254, il laissait une apparence de royaume,
mais sans limites définies, sans couverture réelle, sans
armée assez nombreuse pour faire face à une invasion
massive ou à des attaques simultanées, et surtout sans
pouvoir central, indiscuté et cohérent. Ce royaume
n'était plus qu'une mince frange littorale. Quant au
prince qui portait le titre, flatteur et symbolique, de roi
de Jérusalem, et dont le prestige eût permis de coordonner les efforts, on ne pouvait même pas s'entendre
sur son choix. L'empereur Frédéric II, par son outre-
cuidance, son cynisme et sa méconnaissance des réali-

tés ethniques et militaires, n'avait fait au bout du compte que transférer en Terre sainte la lutte fratricide des guelfes et des gibelins, divisant les forces chrétiennes en face du danger. Les barons du royaume de Jérusalem crurent aplanir les difficultés en proposant la couronne à Alix de Chypre, fille d'Isabelle de Jérusalem et d'Henri de Champagne. Les partisans de Frédéric II s'opposèrent ouvertement à ce choix qui frustrait, selon eux injustement, l'empereur et sa descendance. Quand, en 1258, les barons reconnurent pour roi Hugues de Chypre, petit-fils d'Alix de Chypre, ils furent approuvés par les templiers, les Vénitiens et les Pisans. Mais les teutoniques, les hospitaliers, les Espagnols et les Génois proclamèrent Conradin, petit-fils de Frédéric II. S'ensuivit une lutte ouverte au cours de laquelle les flottes s'affrontèrent, affaiblissant encore le triste royaume. Il faut y insister, les templiers s'abstinrent d'y prendre part, limitant leur intervention à la surveillance d'un quartier de Saint-Jean-d'Acre.

Les châteaux templiers

A cette époque de l'histoire du royaume latin, les ordres militaires étaient donc son ultime rempart, assez riches, par leurs revenus d'Occident, pour entretenir et approvisionner les châteaux que les barons poulains leur avaient peu à peu rétrocédés, assez puissants pour ne reconnaître finalement pour souverains que leurs maîtres respectifs, assez disciplinés pour opposer une défense âpre et vigoureuse aux infidèles et assez indépendants pour recourir à la négociation directe et conclure avec les émirs des traités d'alliance ou de neutralité. Cette autonomie affirmée, les initiatives, parfois surprenantes, qui en découlaient avaient irrité saint Louis, piètre connaisseur du monde arabe. Pendant son séjour prolongé en Terre sainte, il avait cru devoir dénoncer le traité passé, à son insu, par le maître du

Temple, Renaud de Vichiers, et le sultan de Damas. Sans comprendre l'utilité de l'alliance damasquine (divisant les forces de l'Islam), il avait infligé une humiliation publique au maître et à son couvent, et de plus exigé le départ de Terre sainte du maréchal du Temple qui avait négocié l'affaire. C'était se comporter en roi de Jérusalem, en roi véritable et durable. Or les templiers savaient que Louis IX regagnerait l'Europe à brève échéance, rendant aux Musulmans leur audace. D'où cette précaution de s'assurer au moins la neutralité damasquine. Quand on connaît la suite des événements, quelque vive que soit l'admiration que l'on ressente pour le saint roi, on ne peut que donner raison aux templiers et souligner leur perspicacité. Saint Louis d'ailleurs revint promptement sur ses préventions. Contrairement à ce que laisse entendre le bon Joinville, hostile aux templiers par révérence envers son roi, l'incident n'altéra pas son estime pour les moines-soldats. Les templiers ne lui en tinrent nulle rigueur et, même, nommèrent-ils maître en France, ce frère de La Roche qui était l'intime ami du roi, sur l'intervention courtoise de ce dernier. Cependant le chapitre déposa Renaud de Vichiers, au cours d'une délibération secrète, et désigna pour le remplacer Thomas Bérard. Les fiers templiers ne pouvaient souffrir, pour souverain maître, le personnage qui, n'ayant su plaider sa cause ni convaincre le roi, avait plié le genou devant les Poulains et, par ce geste, rabaissé l'ordre entier en dépit de son rôle éminent et des services qu'il avait rendus.

Car enfin, le roi reparti pour la France, que restait-il pour défendre la Sainte Terre ? Les templiers et les hospitaliers et, à un degré moindre, les teutoniques. Encore n'étaient-ils plus aussi riches qu'au XIIe siècle, avaient-ils perdu nombre de places fortes et de domaines, malgré leur héroïsme.

Pour rendre compte de leur puissance, de leur rôle effectif, il faut préciser qu'avant le raid foudroyant de

Saladin en 1187, ils avaient possédé dix-huit grandes forteresses en lesquelles ils tenaient garnison. Que chacune de ces places contrôlait et protégeait des châteaux de moindre importance et des centaines de casals (domaines). Il faut tenter une énumération de ces points forts, si l'on veut comprendre pourquoi les commanderies d'Occident devaient tant produire et économiser, pourquoi les frères de Provins manifestaient tant de zèle à prélever le tonlieu pendant les foires et les frères de Paris se consacraient, eux des moines-soldats, à des opérations bancaires, pâlissaient sur leurs registres, manipulaient leurs échiquiers, ou, derrière leurs guichets, débattaient avec la clientèle. Où passait l'immense revenu annuel, ainsi collecté d'une commanderie à l'autre ? A l'entretien des forteresses qui suivent :

— Dans la princée d'Antioche, le château de Roche-Guillaume, celui de Port-Bonnel et, contrôlant le col de Baylan, celui de Trepessac;

— Dans le comté de Tripoli, la puissante forteresse de Tortose (ou Antartous), les châteaux d'Aryma, le fort de Bertrandimir, le château de Safita appelé Chastel-Blanc, le casal fortifié d'Elteffaha à l'est de Tortose, plus une commanderie à Tripoli;

— Dans le domaine propre des rois de Jérusalem, une partie des tours et des remparts de Jéricho, le temple de Salomon à Jérusalem, le Château-Rouge qui contrôlait la route de Jérusalem à Jéricho;

— Dans le comté de Jaffa et d'Ascalon, le château de Gaza (Gadres) et le château du Natron contrôlant la route de Jaffa à Jérusalem;

— Dans le comté de Césarée, la forteresse de Chaco et la célèbre Chastel-Pèlerin (Athlit);

— Dans la princée de Galilée et la Terre d'Outre-Jourdain, le château de La Fève qui dominait la plaine de l'Esdrelon ou de la Fève, la grande templerie de Saphet dont dépendaient deux cent soixante casaux, la tour de Séphorie et le Chastellet du Gué de Jacob, position avancée, qui ne put longtemps tenir;

– à Saint-Jean-d'Acre et à Tyr, une commanderie.

Nombre de ces châteaux furent perdus à la suite du désastre de Hattin, faute de défenseurs à opposer aux soldats de Saladin. On relève dans l'*Histoire de la conquête de la Syrie et de la Palestine par Saladin*, écrite par son secrétaire Imâd-ad-Dîn, la description et le récit du siège de certains d'entre eux. A propos du château de La Fève, il écrit :

« Al-Fûla était la citadelle la plus belle et la plus forte, la mieux pourvue d'hommes et d'approvisionnement. Ce château fort appartenait au templiers. C'était une place inexpugnable, une base solide. Ils y avaient une source inaccessible, un séjour riche en pâturages, un ferme point d'appui, un terrain bien préparé. Ils y passaient l'hiver et l'été; ils y donnaient l'hospitalité fastueuse; ils y tenaient attachés leurs chevaux; ils s'y pavanaient fièrement; de là, ils répandaient les torrents de leurs troupes; leurs frères s'y réunissaient, leur démon venait s'y abreuver, leurs croix y étaient plantées; leurs troupes y affluaient; ils y allumaient leur ardeur belliqueuse, etc. »

A Trepessac (Darbask pour le scribe de Saladin), « nous trouvâmes le château très élevé, solidement fortifié, dépassant les Gémeaux et dont le sol parlait à l'oreille du ciel. C'était le nid – ou plutôt le repaire – des templiers. Depuis longtemps, de ce château, ils avançaient les mains et le nez pour perpétrer leurs violences ».

Sur le château de Baghrâs (Gaston) :

« Baghrâs est un château qui, dans les calamités, répond à l'appel de la ville voisine d'Antioche. Nous l'aperçûmes se dressant sur un sommet inébranlable, s'élevant sur un tertre inexpugnable, son sol touchant au ciel; il dépassait les Gémeaux; pénétrant dans les ravins, il escaladait les monts, il étalait ses murs dans les nuages, trempé de brouillard, inséparable des nuées, suspendu au soleil et à la lune... Personne n'aurait aspiré à y monter. C'était un château des templiers, repaire d'hyènes, forêt peuplée de fauves, séjour de leurs rôdeurs, antre de leurs coureurs, retraite d'où provenaient les calamités qu'ils causaient, lieu d'où sortaient les malheurs, carquois de leurs flèches, etc. »

Consentant, par exception, à être précis, le poète-secrétaire indique tout de même qu'à Baghrâs ses compagnons trouvèrent la bagatelle de douze mille sacs de farine, entreposés par les templiers et provenant de leurs domaines. Ce qui donne une idée de leurs ressources locales, sachant que Baghrâs n'était pour eux qu'une place secondaire! Bref, les récits d'Imâd-ad-Dîn, en dépit des surcharges poétiques, ont cela d'intéressant qu'ils émanent d'un familier de Saladin, d'un musulman fanatique. Les impressions qu'il s'efforce de transcrire, en exagérant un peu à la façon orientale, il les a ressenties à la vue des redoutables forteresses templières, toutes occupant des points stratégiques, barrant les routes et les vallées essentielles et protégeant l'arrière-pays et ses riches cités. Le fiel dans lequel il trempe sa plume est un hommage indirect mais convaincant à la valeur des templiers. Ce n'est pas pour rien qu'il prête au grand Saladin ces terribles paroles : « Je purifierai la terre de ces ordres immondes (les templiers et les hospitaliers). » Ces récits montrent également à quel degré de haine l'Islam, travaillé par l'intense propagande de Saladin, était parvenu après un siècle d'occupation de la Syrie. Touchant à la prise de la Ville Sainte, Imâd raconte : « Ayant pris possession de Jérusalem, le sultan donna l'ordre impératif de rendre visible le mirbâh (de la mosquée Al-Aqsâ). Les templiers l'avaient masqué par des murs et converti en magasin pour les grains. On dit aussi que, par haine et par iniquité, ils l'avaient utilisé comme latrine... » Dès lors, on ne s'étonne guère de la vengeance particulière de Saladin à l'encontre des templiers, des exécutions impitoyables qu'il ordonna et des cris enthousiastes d'Imâd : « De leurs corps gisants nous régalâmes les loups du désert ! »

Mais après Hattin, et contre toute attente, les Francs s'étaient ressaisis et Saladin n'avait pu achever sa conquête avant de mourir. Le royaume latin, amputé de sa capitale, de ses meilleurs châteaux et de la meilleure partie de son territoire survivait, à la faveur des divisions musulmanes. Des places avaient été reprises par les Francs. Néanmoins, dans la seconde moitié du XIIIe siècle, les templiers ne tenaient plus qu'une partie des forteresses énumérées plus haut. Ils possédaient encore Tortose où ils avaient transféré leur maison chevetaine, Chastel-Pèlerin (Athlit), Saphet, Saphita, les commanderies d'Antioche, de Tripoli, de Saint-Jean-d'Acre et certaines places fortes, comme Beaufort, abandonnées par les barons latins renonçant à les défendre.

Tortose leur appartenait depuis 1165. Ils avaient bâti sur le front de mer un énorme donjon flanqué de deux tours carrées, l'ensemble dépassant 50 m de côté. Un large et profond fossé séparait cette forteresse de la terre à laquelle une étroite chaussée la reliait. Le fossé communiquait avec la mer; il était donc impossible de le vider, comme de saper les murailles. L'épaisseur de celles-ci était exceptionnelle; les pierres dont on l'avait bâtie, d'une taille et d'une qualité inhabituelles. C'était réellement une place inexpugnable, sur laquelle, en 1188, Saladin le Victorieux se cassa les dents. On trouvait à l'intérieur une chapelle et une grande salle décorée de figures humaines. C'était dans ce donjon, qui ressemblait un peu à celui de Paris, que les templiers conservaient leurs archives, entreposaient leur trésor de guerre et se réunissaient en chapitres dans les rares périodes d'accalmie. Là aussi que résidaient le maître et ses lieutenants.

Chastel-Pèlerin se comparait à Tortose par sa situation. Les templiers l'avaient construit en 1218, sur le promontoire d'Athlit, au sud de Haïfa. De même qu'à Tortose, ils isolèrent la presqu'île de la terre en creusant un large fossé alimenté par la mer. Jacques de Tyr, qui visita ce château, relate ainsi sa construction : « On construisit, en avant de la façade du château des Pèlerins, deux tours en pierres carrées, bien polies, et d'une telle dimension que deux bœufs pouvaient à peine en traîner une seule dans un char. Chacune de ces tours a 100 pieds de large (environ 33 m) et 74 pieds de large (environ 24 m). Dans leur épaisseur, elles contiennent la profondeur de deux tortues (balistes); et en hauteur, elles s'élèvent extrêmement et dépassent le niveau du promontoire. Entre les deux tours, on a construit une haute muraille garnie de remparts (créneaux); et, par une habileté admirable, il y a en dedans de la muraille des escaliers par où les chevaliers peuvent monter et descendre tout armés. A peu de distance des tours, une autre muraille s'étend d'un côté de la mer à l'autre, et renferme dans son enceinte intérieure un puits d'eau vive. Le promontoire est enveloppé des deux côtés par une muraille nouvellement construite et qui s'élève jusqu'à la hauteur des rochers. Entre la muraille, du côté du midi, et la mer, sont deux puits ayant de l'eau douce en abondance et qui en fournissent aussi au château. Dans l'enceinte de ce même château, on trouve un oratoire, un palais et un grand nombre de maisons... » Il omet de préciser que la chapelle était hexagonale et la grande salle du château, comme à Tortose, ornée de grandes têtes de chevaliers, les unes barbues, les autres imberbes. Que reste-t-il de ces gigantesques murailles ? Des amas de calcaire quasi informes, mis à part une belle salle voûtée d'ogives, où, peut-être, en 1251, la reine Marguerite de Provence, épouse de saint Louis, mit au jour Pierre de France, comte d'Alençon. Le pieux roi avait une telle confiance dans les templiers qu'il leur laissa en garde ce qu'il avait de plus précieux : sa femme et l'enfant qu'elle attendait. L'année précédente, à Damiette, elle avait eu un autre fils baptisé Jean-Tristan pour rappeler les circonstances tragiques de sa naissance : car on craignait à tout instant, saint Louis étant prisonnier des Sarrazins, de voir la ville tomber entre leurs mains. Jean-Tristan de France mourut à vingt ans, en 1270, à Tunis, quelques semaines avant son père.

Saphita, appelé aussi Chastel-Blanc, se dressait, entre Tortose et le krak des Hospitaliers, sur une colline de 380 mètres de hauteur, surplombant la plaine. C'est, de tout ce qui subsiste des citadelles templières d'Orient, le vestige le plus éloquent et probablement le plus caractéristique. Car le donjon, au milieu de deux enceintes concentriques, est d'abord une église. C'est une construction massive, haute de 28 mètres, large de 18, longue de 31. La chapelle occupe l'étage inférieur. Ses murailles épaisses sont percées de hautes et profondes archères. Une voûte en berceau brisée, divisée par trois arcs doubleaux, la recouvre. La salle haute a 25 mètres de haut et 12 de large, et la disposition de ses archères permet un tir plongeant. En bas, les toits des maisons, les rues se répartissent comme les rayons d'une roue dont le moyeu serait ce donjon dont la puissance écrase : au point que Saladin n'osa l'attaquer.

Saphet avait été relevé par les templiers en 1240, lors de la réoccupation de la Galilée par les Francs. Il surveillait la plaine au pied des monts de Haute-Galilée et contrôlait la grande route des caravanes de Damas à Saint-Jean-d'Acre. C'était une citadelle qui pouvait rivaliser avec l'immense krak des Hospitaliers et leur forteresse de Margat. Mille captifs musulmans avaient travaillé à sa reconstruction, car il avait été démantelé en 1218. Situé à 818 mètres d'altitude, il comportait lui aussi deux enceintes affectant la forme d'un ovale et que séparait un large fossé taillé dans le roc : pour décourager toute tentative de sape. Le donjon passait pour la plus grosse tour circulaire du royaume; il avait 34 mètres de diamètre. Sept tours complétaient la défense. Ce fut un évêque de Marseille, Benoît d'Alignan, qui posa la première pierre, car il restait encore des prélats pour prendre la croix et le risque du pèlerinage en Terre Sainte! Cinquante chevaliers, trente-cinq frères sergents, huit cents écuyers et sergents soldés, trois cents balistiers, cinquante turcopoles, sans compter divers auxiliaires, formaient la garnison permanente de cette place. En cas de conflit, l'effectif atteignait deux mille hommes. Lorsque le sultan Beibars, après un siège mémorable, parvint à s'emparer de Saphet, il fit exécuter la garnison entière. On racontait alors que la tête coupée d'un frère acheva le *Salve Regina* qu'elle chantait lorsque l'épée du bourreau la détacha du tronc.

Beaufort compense les pertes subies par les templiers au cours de cette longue lutte. Julien de Sagette, ruiné, le leur vendit en 1260, et ils le tinrent jusqu'en 1268. Ce Julien avait épousé Euphémie, fille du roi d'Arménie; elle accusa les templiers d'avoir consenti un prêt usuraire à son époux afin de s'emparer de cette forteresse. Mais Julien leur vendit également Saïda (Sidon) et finit par entrer dans l'ordre. Beaufort défendait la vallée du Nahr et couvrait Sidon, forteresse marine et qui devait être une des dernières places tenues par les templiers avant l'évacuation de Terre sainte.

Les hospitaliers ne le cédaient en rien aux templiers. Ils avaient aussi, et dans la dernière période du royaume, d'immenses citadelles : le krak des Chevaliers qui figure dans tous les manuels, Margat, Chastel-Rouge, Gibelin, Belvoir, des centaines de casaux plus ou moins fortifiés et de vastes étendues de champs, de vignes, de forêts de cèdres.

Tous ces châteaux s'étaient élevés dans des conditions difficiles. Non seulement on utilisait les captifs musulmans, mais chacun mettait la main à la pâte. C'était aussi une manière de gagner son paradis, d'obtenir la rémission de ses péchés! Pendant son séjour en Terre sainte, Louis IX lui-même, pour donner l'exemple, avait travaillé comme manœuvre aux fortifications d'Acre, de Césarée et de Jaffa. On lit par ailleurs dans l'*Histoire de la guerre sainte,* d'Amboise : « Les bons chevaliers, les écuyers, les sergents se passaient les pierres de main en main; ils travaillaient sans relâche et il y avait tant de clercs et de laïcs qu'en peu de temps ils avançaient beaucoup l'ouvrage. Plus tard, pour le continuer, on envoya chercher des maçons; il leur fallut beaucoup plus de temps pour terminer. » Mais Amboise parlait des remparts d'Ascalon, d'une époque dépassée. Désormais, c'étaient surtout les maçons qui travaillaient aux remparts dont la réfection coûtait de plus en plus cher. Il ne fallait pas moins que l'exemple d'un roi pour réveiller l'ardeur des Poulains.

Les Latins avaient profité des progrès arabes dans l'art militaire. Pour renforcer les murailles, on y insérait perpendiculairement des colonnes de pierre dure. Quant à eux, les templiers avaient adopté les tours à faible saillie par rapport au rempart, généralement carrées ou barlongues. Négligeant les flanquements, ils surhaussaient la hauteur des murs et creusaient les fossés, obviant ainsi à l'escalade et au travail de sape. Les hospitaliers, au contraire, restaient fidèles aux tours rondes de l'Ile-de-France. Mais les uns comme les autres avaient emprunté aux ingénieurs orientaux leurs machines perfectionnées : mangonneaux lançant leurs boulets de pierre à trois cents mètres, pierrières turques, arbalètes géantes expédiant des traits chauffés au rouge et des fusées incendiaires, grenades au pulvérin, pots de naphte, etc.

L'état-major du Temple

En temps ordinaire, les templiers formaient une petite armée permanente de quelques milliers d'hommes encadrés par cinq cents chevaliers et le double de frères sergents. En temps de guerre, ils s'adjoignaient des troupes soldées, recrutées sur place, de valeur souvent inégale, et parmi ces « croisés malgré eux » qu'étaient les condamnés à mort graciés et contraints de partir en Terre sainte.

Les chevaliers et les sergents du Temple obéissaient à leurs commandeurs respectifs. L'ensemble était régi par le maître souverain et par son état-major comprenant :

— le sénéchal;
— le maréchal;
— le commandeur du royaume de Jérusalem;
— le commandeur de Tripoli et d'Antioche;
— le drapier;
— le turcoplier;
— le sous-maréchal (frère sergent);
— le gonfanonier (frère sergent).

Le maître – nous verrons plus loin son mode d'élection – ne porta jamais le titre de Grand Maître du Temple. On trouve cette désignation dans des chartes tardives et les pièces du procès. Par contre, dans les chroniques, on l'appelle parfois Souverain Maître. Et il est exact qu'au XIIIᵉ siècle il était une manière de souverain régnant sur les châteaux et les fiefs de Terre sainte comme sur les provinces d'Occident, encore que ses pouvoirs fussent limités par les décisions du chapitre et strictement définis par la Règle. Tout seigneur qu'il était de ses templiers, il restait soumis aux obligations et à la discipline communes et, dans le principe, il n'était qu'un frère parmi les autres, mandaté par l'ordre et responsable envers lui de ses décisions.

Il n'avait droit qu'à quatre chevaux, soit un de plus

que les simples chevaliers. Mais, comme il représentait le Temple et, à ce titre, assumait une charge officielle le mettant sur le même pied que les plus hauts prélats et les princes, on lui donnait aussi un turcoman, cheval de grande race, de grande beauté et de grande valeur : mais, après usage, le beau cheval réintégrait la caravane; il n'était que prêté; la suite du maître se composait de deux prud'hommes l'accompagnant partout, d'un frère chapelain, d'un clerc, d'un frère sergent et d'un valet portant sa lance et son écu. Il disposait aussi d'un « écrivain sarrasinois » (un interprète), d'un turcopole, d'un coq (cuisinier) et de deux garçons à pied. En paix, il pouvait emmener deux sommiers (chevaux de charge) et quatre en temps de guerre, pour transporter ses bagages. Quels étaient ses pouvoirs ? Ceux du chef suprême, mais, en toutes circonstances, après avis ou de son conseil privé ou du chapitre des frères. Il n'avait le droit ni de donner une terre appartenant à l'ordre, ni d'aliéner un château ou de le prendre en charge, sinon par autorisation du chapitre. De même ne pouvait-il de son propre chef ni commencer une guerre, ni conclure une trêve, ni la prolonger. Il n'avait pas davantage le pouvoir de nommer les dignitaires. Cette nomination était collégiale : pour le sénéchal, le maréchal, le commandeur de Jérusalem, celui de la cité, ceux d'Acre, de Tripoli et d'Antioche, aussi pour le drapier du couvent et pour les maîtres des provinces d'Occident (France, Angleterre, Poitou, Aragon, Portugal, Pouille, Hongrie). Ces derniers ne pouvaient se rendre en Orient sur simple convocation du maître de l'ordre; l'assentiment du chapitre était nécessaire. Par contre, les commandeurs de moindre importance étaient désignés par le maître soit en chapitre, soit en conseil restreint, à sa discrétion. Il avait, partout où il passait, droit de regard dans les châteaux et domaines du Temple; il pouvait répartir les effectifs, les munitions, les provisions entre les commanderies, selon les besoins, nul n'ayant le droit de lui dissimuler quoi que ce fût.

S'il était obligé de se rendre en Occident, donc de quitter momentanément le royaume de Jérusalem, il déléguait ses pouvoirs au commandeur de la Terre, où à tel frère de son choix. S'il voulait renvoyer des frères en Occident, il ne pouvait les désigner lui-même. Il ordonnait au maréchal, au commandeur de la Terre (de Jérusalem), au drapier, au commandeur d'Acre et à trois ou quatre prud'hommes d'aller à l'infirmerie : « Allez voir les frères, pour savoir ceux qu'il serait profitable d'envoyer dans les parties d'outre-mer. » Le maréchal et ses compagnons établissaient une liste et la lui soumettaient. Le chapitre choisissait ensuite. Un article des *Statuts hiérarchiques* montre que, sauf exceptions, sauf missions particulières, on ne renvoyait en Europe que les frères hospitalisés en raison de leur âge, de leurs maladies et surtout des blessures qu'ils avaient reçues. Hormis en Espagne et au Portugal où l'on se battait contre les Sarrasins, les frères, comme on l'a dit, étaient administrateurs, chefs d'exploitations ou d'entreprises, banquiers, recruteurs ou formateurs de nouvelles recrues. Les anciens combattants, les blessés de guerre rentraient donc dans la vie civile, mais ils continuaient à servir la cause templière selon leurs talents et jusqu'à leurs derniers jours. Quant au maître, il n'avait pas droit à la retraite; généralement, il mourait à la tâche, le plus souvent les armes à la main bien que dix chevaliers d'élite fussent chargés de le protéger pendant les batailles. Cependant le couvent pouvait le déposer, comme il l'avait fait de Renaud de Vichiers. Au bout du compte, et d'autant plus qu'il était élu, le maître était une sorte de président, davantage qu'un seigneur féodal. La majorité des voix, dans les chapitres généraux comme dans les conseils restreints, dictait absolument ses décisions. Il est vrai que, selon son prestige, son autorité ou son habileté, il pouvait influer grandement sur les votes. Mais, la majorité acquise, il devait s'y conformer, strictement.

Sauf quand il invitait des gens du siècle, il mangeait

au réfectoire, avec les frères. Il avait, quoique sur une plus grande échelle, les droits et les devoirs d'un commandeur de maison. Il ne mangeait à l'infirmerie que s'il était malade ou blessé. Comme tous, il ne possédait rien en propre, ne pouvait ni donner ni prêter les avoirs de l'ordre sans accord du chapitre. Cependant, en raison de son rang dans le siècle et de ses obligations, il pouvait détenir une huche (un coffre) fermé à clef dans lequel il mettait « ses joyaux ». Il avait le droit également de faire certains cadeaux ou de consentir des prêts limités, « pour le profit de la maison », et bien entendu après avis de son conseil. Ces cadeaux étaient cent besants, une coupe d'or ou d'argent, une robe de vair (en peau d'écureuil), un cheval, une armure (mais non point une épée, ni un couteau d'armes, ni même un fer de lance). Si quelque ami de la maison lui offrait un cadeau en retour, le maître devait le présenter au trésorier. Quant aux prêts qu'il pouvait consentir, ils n'excédaient jamais mille besants. Devait-il se rendre à Tripoli ou à Antioche, le trésorier lui remettait au plus trois mille besants, dont il pouvait donner une partie aux commanderies les plus pauvres, mais dont il rendait le surplus au terme de son voyage. Mourait-il, tout ce qui lui avait appartenu revenait à l'ordre. Les *Statuts hiérarchiques* résument et définissent parfaitement sa situation en deux lignes : « Tous les frères du Temple doivent obéir au maître, et le maître doit obéir à son couvent. »

Le sénéchal était le lieutenant du maître. En cette qualité, il avait également une suite personnelle, composée d'un chevalier, de deux écuyers, d'un frère sergent, d'un diacre, d'un turcopole et d'un interprète sarrazin. Comme le maître, il disposait de quatre bêtes, d'une tente ronde, et du sceau de l'ordre. En l'absence du maître, il exerçait ses pouvoirs et son droit de contrôle sur les commanderies. Il pouvait même offrir à un ami de la maison un palefroi, une mule ou un mulet, une selle de combat, une coupe d'argent, une robe de vair ou d'écarlate, mais toujours pour le profit de l'ordre et avec l'assentiment du chapitre. Dans ses chevauchées, on portait près de lui le gonfanon baucent, honneur réservé au maître.

Le maréchal du Temple était le chef militaire. Il avait la haute main sur les armes et les armures, sur les machines de siège et sur les munitions, sur les harnachements. C'était lui qui mobilisait les forces de l'ordre, les répartissait en échelles (en escadrons), donnait les ordres tactiques. Lui encore qui achetait chevaux et mulets, avec l'assentiment du maître. Il commandait en bataille en cas d'absence de ce dernier et du sénéchal. Lorsque les chevaux arrivaient d'Occident sur les nefs du Temple, le maréchal les inspectait, faisait son choix et sa répartition. Il distribuait aussi les frères dans les commanderies. Haut dignitaire, il avait pour suite deux écuyers, un sergent et un turcopole. Sa tente était ronde, mais plus petite que celles du maître et du sénéchal. Il ne détenait pas le sceau (la boulle : bulle) et ne pouvait faire que de menus cadeaux aux amis de la maison : une selle usagée, un harnais léger, « mais qu'il ne le fasse trop souvent » !

Il avait pour adjoints le turcoplier, le sous-maréchal et le gonfanonier.

Le turcoplier (ou turcopolier) n'était pas un mince personnage. Il commandait les frères sergents (en armes) et les turcopoles (troupes auxiliaires indigènes) en armes et en paix. Ce qui explique qu'il disposât de quatre chevaux et même d'un turcoman. Envoyé en éclaireur avec une escorte de chevaliers, il assumait seul la responsabilité de la mission et l'on devait se conformer à ses ordres. En présence du maréchal, il ne pouvait que ranger en échelles ses turcopoles et ses sergents, et exécuter les ordres reçus. Il n'avait le droit ni d'attaquer, ni de charger, ni de poursuivre l'ennemi, de sa propre initiative.

Le sous-maréchal était le maître des frères de métier, le responsable de ce qu'on appelait la

« mareschaucie » (maréchalerie), c'est-à-dire des harnachements. C'était lui qui répartissait et faisait réparer les selles, les brides, les étriers, mais aussi les lances, les épées, les armes turquoises (d'origine turque), les arbalètes et les chapeaux de fer. Il devait donc contrôler activement le travail des ateliers. Il répartissait aussi les écuyers. Ces derniers toutefois relevaient plus directement de la « justice » du gonfanonier.

Le gonfanonier (ou confanonier) commandait en effet aux écuyers qui n'appartenaient pas au Temple, mais servaient à terme, soit « par charité », soit pour une solde. Il les répartissait entre les maisons, payait leur solde et maintenait la discipline dans leurs rangs. En campagne, c'était lui qui les disposait en échelles. En route, il précédait le gonfanon beaucent porté par un écuyer. En guerre, c'était un turcopole qui portait l'étendard noir et blanc frappé de la croix rouge. Le gonfanonier portait lui-même un pennon aux couleurs de l'ordre, enroulé autour de sa lance ; il le dépliait lors de la charge.

On le voit, ces trois officiers, bien que leurs fonctions fussent importantes, ne suppléaient pas réellement le maréchal, s'il était absent, blessé ou tué ; ils ne pouvaient absolument pas se substituer à lui. Ce n'étaient, chacun dans sa spécialité, que des exécutants. On les recrutait parmi les frères sergents.

Le commandeur du royaume de Jérusalem était un très grand personnage, disposant de quatre chevaux et d'un palefroi, doté d'une suite composée de deux écuyers, d'un sergent, d'un turcopole, d'un diacre sachant écrire, d'un interprète, de deux garçons à pied. Il avait pour compagnon le drapier du couvent. Le commandeur du royaume était en effet le trésorier suprême de l'ordre, ayant droit de contrôle sur toutes les possessions templières en Orient comme en Occident, et sur leurs revenus. C'était dans sa caisse que l'on versait les excédents et c'était lui qui effectuait les paiements de toute nature, mais sur ordre du maître et du chapitre. Obligation lui était faite de rendre compte, à la demande, de la situation de la caisse. Mais l'auteur des statuts s'exprime mieux que moi : « Et si le maître, écrit-il délicieusement, ou une partie des prud'hommes de la maison en veulenr ouïr conte, il leur doit rendre. » C'était lui également qui encaissait les dons que l'on faisait en argent et en nature, les rançons qui étaient versées pour le rachat des captifs ou des esclaves. Il exerçait une surveillance particulière sur les commanderies et casaux du royaume de Jérusalem, bien entendu sous l'autorité et avec l'accord du maître. Il avait aussi le commandement de la Voûte d'Acre et des vaisseaux templiers dont c'était le port d'attache. Le commandeur de la Voûte, personnage important bien qu'il eût rang de frère sergent, était à ses ordres. Tout ce que transportaient les nefs templières qui relâchaient à Acre devait être remis au trésorier. Il présidait aussi à la répartition des frères entre les châteaux et pouvait dire au maréchal : « Tant en mettez en telle maison, et tant en l'autre. » Le maréchal était tenu d'obtempérer, cela en temps de paix. En guerre, tout le butin devait lui être remis, sauf les destriers et les turcomans, les armes et les armures qui allaient à la maréchaussée.

Le drapier, qui travaillait sous les ordres directs du trésorier, était aussi un grand personnage, ayant droit à quatre chevaux, deux écuyers et un homme de charge. Il commandait aux « parmentiers » (les tailleurs). C'était lui qui était responsable de la bonne tenue des templiers. Il les habillait et leur distribuait la literie, à l'exception des carpites (couvertures de laine) laissées à la discrétion des commandeurs. Lorsque les étoffes arrivaient d'Occident, il assistait au « déplier des trousseaux », autrement dit il en contrôlait soigneusement l'état et la qualité. Il veillait aussi à ce que les frères eussent les cheveux coupés court, et à ce qu'ils ne portassent point de vêtements non réglementaires.

Quand un frère entrait dans l'ordre, ses habits civils étaient remis au drapier.

Le commandeur de la cité de Jérusalem avait été l'un des principaux dignitaires de l'ordre, lorsque la maison chevetaine se trouvait dans la capitale du royaume. Sa mission traditionnelle était de protéger les pèlerins qui se rendaient au Jourdain afin de s'y purifier et d'y laver leurs vêtements. Quand on sortait la Sainte-Croix pour une chevauchée ou une bataille, le commandeur de la Cité devait la protéger nuit et jour avec dix chevaliers d'élite. Il était honoré d'une tente ronde et du gonfanon beaucent, à défaut d'une enseigne aux couleurs de l'ordre. Il avait à son commandement, outre les frères du couvent de Jérusalem, les chevaliers laïcs de cette ville.

Le rédacteur des Statuts consacre quelques articles aux commandeurs de Tripoli et d'Antioche. Leurs fonctions étaient analogues à celles des commandeurs des provinces occidentales. Ils jouissaient d'une certaine autonomie, en raison de leur éloignement du royaume de Jérusalem et des responsabilités qui en résultaient. Ils détenaient très exactement les pouvoirs du maître dans leur territoire, mais par délégation, et ces pouvoirs cessaient en présence de celui-ci. Quant au commandeur des chevaliers, ses fonctions sont assez mal définies. Il semble avoir été à la fois aux ordres du maréchal et du commandeur de la Terre. Ses pouvoirs étaient restreints, bien qu'il pût tenir chapitre en l'absence de ses supérieurs et donner quelques permissions.

Telles étaient les structures à la fois administratives et militaires du commandement templier en Terre sainte. On aura noté que les dignitaires envoyés en Occident (maîtres dans les provinces et visiteurs) étaient désignés par le chapitre d'Orient, c'est-à-dire qu'ils recevaient leurs ordres du maître souverain et, pour une part, du trésorier.

CHAPITRE IX

COLÈRE ET DOULEUR

L'ICONOGRAPHIE des templiers est très pauvre. Sans doute, après leur chute, s'est-on acharné à effacer leurs images. Sans doute aussi ces dernières devaient-elles être rares au temps de leur existence, car l'esprit d'économie et l'influence cistercienne interdisaient les ornementations superflues. On retrouve ici et là une croix oubliée ou maintenue par respect et en souvenir, des visages, des gisants en tunique ou en haubert, quelques scènes insérées dans des vitraux, quelques enluminures, et beaucoup de restitutions ultérieures où la bonne volonté supplée l'exactitude. Il est donc assez difficile de se représenter un templier en tenue de guerre ou de paix, une troupe de templiers au bivouac ou en action.

Il existe pourtant une très vaste et authentique représentation de la vie templière, et je me permets de la signaler à l'attention de ceux qui sont curieux de ces choses. Elle se trouve au cœur de la belle et lumineuse campagne charentaise, dans la commune de Blanzac, au sud d'Angoulême. Là s'élevait jadis la commanderie de Cressac dont subsiste la chapelle, convertie aujourd'hui en temple protestant. Cette chapelle, toute simple, est, selon le style local des templeries, un rectangle voûté en berceau, mais dont les murailles ont été décorées de peintures à fresque miraculeusement intactes. Un bandeau subsiste, de 15 mètres de long sur 3 mètres de haut, et sur deux registres. Le registre inférieur montre des silhouettes blanches se détachant sur un fond rouge, précisément une scène de bivouac, avec exercices militaires : les chevaliers y « bohordent » joyeusement et d'autres regardent. Le registre supérieur a un fond blanc sur lequel se profilent des personnages brun-rouge. On y voit un château de Terre sainte, avec sa chapelle, ses tours crénelées ou chapeautées de tuile, et ses remparts garnis de guerriers. De la porte de cette forteresse sortent des chevaliers, les uns du siècle et les autres du Temple. Les plus avancés, la lance pointée, chargent les Sarrasins qui se protègent de leur rondache (bouclier rond). Il est probable qu'il s'agit là d'une évocation de la victoire de la Boquée sur l'atabeg d'Alep et de Damas Nour-ed-Din, victoire à laquelle participa le comte d'Angoulême, Guillaume IV Taillefer. Mais son intérêt majeur est de nous montrer les templiers tels qu'ils furent, quittant l'une de leurs villes-forteresses pour « poindre » l'adversaire. Ils sont coiffés d'un casque à nasal emboîté sur le capuchon du haubert. Leur cotte d'arme est blanche et frappée de la croix pattée. Leur long bouclier triangulaire est orné de croix, entre les clous et les bandes de métal qui le renforcent. Le pennon qui flotte au vent est aussi décoré d'une grande croix. De loin en loin, de larges fleurs de lys rouges sortent du sol guilloché et semblent flotter dans l'air. C'était le temps de l'alliance entre les rois de France et les chevaliers blancs ! Dans une autre partie de la chapelle le peintre a figuré saint Georges, le chevalier-martyr, l'un des patrons de l'ordre. Dans sa naïveté charmante, il a prêté aux chevaux de guerre le même regard expressif qu'aux hommes. Observateur attentif et dessinateur habile, il a su en quelques lignes élégantes rendre l'essentiel, traduire le mouvement et les sentiments. Une vie étrange, fascinante, persiste dans ce tableau aux teintes à peine fanées.

La Règle décrit la vie des templiers en campagne aussi minutieusement que la vie dans les commanderies. Il était indispensable que la discipline fût absolue, eu égard à la situation en Terre sainte, si l'on voulait atteindre à la pleine efficacité de la petite armée templière. Il importait surtout de réagir contre l'esprit d'indépendance, de gloriole et de fantaisie qui caractérisait le milieu chevaleresque. Chevaliers, sergents, turcopoles, écuyers devaient être en mesure, à tout instant, de répondre à l'appel du maître ou du sénéchal, et de manœuvrer comme un seul homme. Voici donc les « moments » décrits par la Règle :

Les chevaliers partent en chevauchée : la Règle interdit aux frères de mettre leurs selles, de harnacher leur cheval, de monter et de quitter leur place, avant que l'ordre n'ait été « crié » (donné) par le maréchal. Cependant elle leur recommande de se tenir prêts, et de charger les impedimenta : piquets de tente, flacons vides, haches et cordes de berrie (de campement) et puisoirs (filets de pêche). Un frère éprouve-t-il le besoin de parler au maréchal, il ne doit sous aucun prétexte utiliser sa monture, mais aller à pied, puis retourner à sa place en attendant l'ordre. Lorsque celui-ci est crié, les frères montent à cheval, mais après avoir inspecté les lieux et vérifié que rien ne traîne, que rien n'a été oublié dont le chapitre pourrait bien, en cas de perte, demander compte.

Les frères chevauchent : sans désordre, ils prennent leur place dans la colonne, suivis de leurs écuyers respectifs. Leur cheval trotte l'amble (au pas), « bellement ». Lorsque la colonne est en route, chacun des frères fait passer ses écuyers et ses chevaux de charge devant lui, pour les surveiller. S'il fait nuit, obligation de silence, sauf pour raison de service. Pendant la chevauchée, supposons qu'un frère veuille parler à un autre. Il quitte sa place, avec ses écuyers et ses chevaux de charge. Après l'entretien, il reprend sa place. Quand un frère doit remonter la colonne, ou la descendre, pour quelque affaire, il doit trotter sous le vent, afin que la poussière ne se rabatte pas sur la colonne, ce qui gênerait la visibilité et causerait « mal et ennui » aux frères. Il faut penser au sable des déserts, aux pistes et aux chemins poudreux de Palestine, sous un ciel implacable ! Mais il est défendu de se mettre, hors la colonne, à deux ou trois pour bavarder et « soulacier » (se divertir), et la défense s'applique aux écuyers.

D'ailleurs on ne peut s'éloigner de la colonne sans permission, même pour abreuver les chevaux. Très judicieusement, la Règle prescrit de se rendre en force aux points d'eau, pour éviter les embuscades qui doivent être fréquentes. En temps de paix, on peut à la rigueur s'arrêter et faire boire les bêtes. En mission et en guerre, cela est interdit, tant que le gonfanon beaucent ne s'arrête pas lui-même près de l'abreuvoir. En cas d'alerte, les frères, remontant à cheval, prennent leur lance et leur écu et se rassemblent autour du maréchal en attendant ses ordres. De façon générale, ils ne peuvent prendre leurs armes, ni les quitter, ni enlever la selle ni le harnachement de la bête, avant d'en avoir reçu l'ordre, surtout en lieu de « regard » (de surveillance).

Les frères au bivouac : aucun d'eux ne doit prendre place que l'on n'ait crié : « Hébergez-vous, seigneurs frères, de par Dieu ! » Ils dressent leurs tentes autour de celle qui tient lieu de chapelle, des tentes rondes du maréchal et du commandeur de la Terre, près desquelles le commandeur de la viande fait aussi dresser la sienne. Nul ne doit envoyer ses écuyers au fourrage ou à la corvée de bois sans que l'ordre ait été donné, à moins que ce ne soit à portée de voix du campement. Encore faut-il préalablement protéger les selles en les couvrant avec une carpite ou une esclavine (manteau en étoffe épaisse et velue). On ne peut en outre envoyer qu'un écuyer sur deux. L'insécurité est telle que l'on redoute constamment les surprises. Tant de frères chevauchant isolément, même en temps de paix, ont été attaqués à l'improviste, tués ou capturés par les Sarrasins, qu'il est interdit de s'éloigner, sauf permission, à plus d'une lieue des places fortes ou hors de portée de voix·quand le couvent bivouaque. Les frères vont entendre les heures ou la messe, alternativement. Lorsque l'on est empêché, pour les raisons de service, d'entendre les heures, on les remplace par des pater noster en l'honneur de Dieu et de Notre-Dame.

Lorsque le « crieur », qui loge près du gonfanonier, annonce les « livraisons », c'est-à-dire la distribution des victuailles, chacun met son manteau et se rend, bellement et en paix, à la tente du commandeur de la viande. Celui-ci fait parts égales, et la règle lui recommande de ne pas présenter deux épaules ensemble, ou deux hanches, mais de varier les morceaux afin que chacun y trouve son compte. Seuls, les dignitaires ont un régime privilégié, mais surtout les malades et les blessés dont la ration est augmentée d'un tiers, en viande comme en vin. Chacun des frères retourne ensuite à sa tente et fait la cuisine avec ses écuyers. Son matériel de campement est sorti des besaces dans lesquelles on le transporte réglementairement, à savoir un chaudron, une hache pour couper les bûches, une râpe, des écuelles, des couteaux et des flacons. On ne peut manger que les nourritures livrées par le commandeur de la viande, si ce n'est le poisson attrapé au « puisoir », ou le gibier pris au lacet, en tout cas sans l'avoir chassé, puisque la chasse est interdite. Si quelqu'un du siècle offre des victuailles, on doit les remettre au commandeur, lequel par courtoisie les rend, sauf en cas de disette.

Les chevaux sont soumis à la règle commune. Les frères vont avec des bassins d'égale capacité chercher leur mesure d'orge chez le grainetier, logé près du gonfanonier au centre du camp. A maintes reprises, la règle rappelle l'obligation de veiller avec soin sur la nourriture, l'entretien, la santé des chevaux, assez rares en Terre sainte pour qu'il faille en faire venir d'Europe. Il est interdit aux frères d'en changer sans autorisation : « Et si un frère avait un cheval qui fût rétif, ou tirant, ou qui se dressât ou qui chût, il le doit montrer ou faire montrer au maréchal. » Lequel en attribuait un autre au plaignant, s'il le pouvait. Mais, chose bizarre, si le maréchal refusait, le frère pouvait se dispenser de monter la bête rétive sans encourir de punition : il est vrai qu'il se condamnait à aller à pied ! On ne peut quitter les chevaux du Temple sans reproduire ce rapide croquis, ou cet instantané, d'Imâd-ad-Dîn : « Chevaux gris pommelé qui avaient pour pâture la mort violente, chevaux tachetés de roux qui avançaient dans le jour gris, alezans qui étaient les plus résistants, chevaux de couleur pie... »

Le combat : un peu avant la charge, le maréchal prend, de par Dieu, le gonfanon beaucent de la main du sous-maréchal. Il ordonne à six, ou dix, chevaliers de venir près de lui. Ce sont des combattants éprouvés, connus pour leur courage et leurs exploits : « Ils doivent abattre l'ennemi autour du gonfanon, au plus beau qu'ils pourront, ne pas s'en éloigner, ne pas l'abandonner, mais au contraire se tenir le plus près possible et le défendre tant qu'ils le pourront. » Près du maréchal se tient le commandeur des chevaliers qui porte un gonfanon roulé autour de sa lance et gardé lui aussi par une dizaine de frères. C'est le gonfanon de secours, si l'on peut dire ! Au cas où le gonfanon du maréchal est abattu ou disparaît dans la bataille, le commandeur des chevaliers déploie le sien et rallie les combattants.

Nul n'a le droit de sortir du rang qui lui est assigné, sous quelque prétexte que ce soit. Chaque commandeur responsable d'un escadron (une échelle) porte un pennon aux couleurs de l'ordre, roulé autour de sa lance et gardé par dix chevaliers.

Quand le maréchal est abattu, le commandeur des chevaliers prend le commandement et poursuit la charge. S'il est blessé et s'abat, l'un des commandeurs des échelles déroule son gonfanon et prend sa place.

Dans le tumulte et la poussière des batailles, le gonfanon beaucent reste le point de ralliement. Obligation absolue est faite aux chevaliers et sergents de ne pas le quitter ou de le rejoindre dès qu'ils l'aperçoivent, sinon ils s'exposent aux plus dures sanctions. Si, dans le feu de l'action, un templier est emporté par son cheval au milieu des Sarrasins, il doit rejoindre le premier pennon de l'ordre qu'il aperçoit sur le champ de bataille, qu'il soit ou non l'enseigne de son escadron. Sous aucun prétexte, en cas de déconfiture, il ne faut abandonner le gonfanon, à peine d'être exclu de l'ordre pour toujours. S'il ne voit, dans la confusion d'une bataille perdue, aucun des étendards ou des pennons du Temple, c'est l'étendard des hospitaliers qu'il rallie, à défaut celui d'un seigneur chrétien, et, sinon, qu'il aille « là où Dieu le conseillera ».

€ar nul n'a le droit de fuir devant l'ennemi, ni même de se retirer du combat sans permission. Il faut tenir jusqu'à la dernière goutte de son sang, et mourir en rendant grâces de cette faveur !

Ceux qui, blessés, désarçonnés, étaient pris par les Sarrasins, ne pouvaient offrir de rançon, ni renier leur foi pour sauver leur vie. Les Sarrasins les décapitaient, souvent après les avoir suppliciés. Les épargnait-on qu'ils devenaient esclaves, attendant, sous les coups de fouet, une incertaine délivrance et regrettant de ne pas être morts, les armes à la main, parmi leurs frères plus heureux. LES TEMPLIERS, C'ÉTAIT CELA !

Il reste à dire comment le maître souverain de l'ordre était élu, quel était le cérémonial précédant, accompagnant et suivant cette élection, et comment le nouveau maître recevait l'investiture de ses frères. Cet événement solennel, notre petit frère Jocelin, devenu à la faveur des années et par son courage exemplaire, commandeur des chevaliers, en fut le témoin attentif et l'acteur. Ce sera donc avec ses yeux que nous regarderons les chandelles entourant le corps du maître défunt, le grand commandeur qui le remplace jusqu'à l'élection, le visage des frères empreint de gravité. Instant capital dans l'existence de l'ordre, car du nouveau venu dépendra le bien ou le mal pour tous, malgré le frein et le contrôle du chapitre, et d'autant que l'heure est tragique pour la Terre sainte.

Dieu, selon l'expression du temps, a fait son commandement au maître. Le mort est étendu dans sa tunique et son manteau à croix rouge, sur un catafalque dans la chapelle. Autour de lui brille « un grand luminaire de cierges et de chandelles ». Des frères en armes, roides et blancs comme des statues de pierre, lui font une garde d'honneur. Les chapelains officient et des frères à genoux prient pour l'âme du trépassé. Il aura des obsèques solennelles, avant d'aller dormir dans le cimetière templier, sous une tombe anonyme, parmi les autres frères. On y conviera tout le clergé et ses prélats, les barons et la chevalerie du siècle, et la population. Ces honneurs funèbres, l'inflexible règle tient à rappeler qu'ils ne s'adressent pas à l'homme mais à la fonction. Comme pour un frère quelconque, tout ce qui lui a appartenu retourne à l'ordre, sauf la robe dont on a revêtu son cadavre. L'ordre hérite de ses armes, des présents qu'il a reçus et qu'il tenait enfermés dans sa huche fermée à clef. Cependant les frères, en plus de leurs prières habituelles, doivent dire pour lui deux cents patenôtres dans les sept jours suivant le décès, et le couvent doit nourrir cent pauvres au dîner et au souper.

Mais l'ordre ne peut être laissé sans direction, même un seul jour. L'intérim est statutairement assuré par le maréchal du Temple. Il réunit les dignitaires, les commandeurs les plus considérables et les frères du chapitre. Ce collège désigne le grand commandeur qui, désormais, exercera les pouvoirs du défunt et ce, jusqu'à l'élection de son successeur. Si le maître était décédé, non dans le royaume de Jérusalem, mais dans la baillie de Tripoli ou d'Antioche, le rôle du maréchal aurait été assumé par le commandeur de l'un ou l'autre de ces territoires.

Le grand commandeur forme un conseil restreint composé du maréchal et des commandeurs de Jérusalem, d'Antioche et de Tripoli. Ce conseil, après mûre réflexion, fixe le jour de l'élection et arrête les mesures préparatoires. Il aide aussi le grand commandeur, chef provisoire, à administrer la maison. Car celui-ci, à partir de sa désignation, détient le sceau de l'ordre et donne ses ordres en deçà et au-delà la mer, comme s'il était le maître, de façon qu'il n'y ait aucun hiatus dans les affaires. Jusqu'au jour de l'élection, l'ensemble des frères jeûne au pain et à l'eau chaque vendredi.

Le jour de l'élection, après matines, le grand commandeur rassemble les prud'hommes du couvent, non la totalité des frères. Sous sa présidence, ce chapitre restreint choisit deux ou trois frères de haute réputation, et les fait sortir de la salle. L'un d'entre eux est élu commandeur de l'élection. L'usage veut qu'il aime Dieu, connaisse plusieurs langues, soit estimé de tous, recherche la paix et la concorde et se tienne au-dessus des factions. Le chapitre lui choisit ensuite un compagnon, qui doit avoir rang de chevalier; ce sera son adjoint.

Le commandeur de l'élection et son compagnon se rendent ensuite à la chapelle prier Dieu jusqu'au lever du jour et lui demander conseil. Ils ne doivent alors parler à personne et personne ne doit leur adresser la parole. Pendant qu'ils sont ainsi en oraison, les autres frères récitent les heures et se recueillent, demandant à Dieu qu'Il les inspire, afin que Sa Volonté s'accomplisse. Les frères souffrants sont allés se recoucher.

La cloche de prime vient de sonner dans le petit matin. Les frères se hâtent de lacer leurs manteaux. Ils entrent dans la chapelle gravement et en paix, pour entendre dévotieusement la messe du Saint-Esprit, puis les heures de tierce et de midi.

Le grand commandeur réunit alors le chapitre entier. Il exhorte les frères à demander l'assistance du Saint-Esprit, afin de choisir un maître et pasteur pour les conduire en bonne voie et les conseiller, partout où la maison a des commanderies. Les frères s'agenouillent et prient du mieux qu'ils le peuvent.

Le grand commandeur appelle alors devant lui le commandeur de l'élection et son compagnon, et il leur dit :

« Beaux seigneurs frères, je vous commande, de par Dieu, au péril de vos âmes et de votre paradis, de désigner les électeurs qui vous assisteront. Je vous prie de ne les point choisir par faveur, ni par haine, ni par amour, mais parmi ceux qui désirent paix et concorde dans la maison. »

Le commandeur de l'élection et son compagnon se retirent dans une chambre. D'un commun accord, ils désignent deux autres frères qui se réunissent à eux. Les quatre frères en élisent deux autres, ce qui fait six. Les six frères en élisent encore deux autres, qui fait huit, et ainsi de suite jusqu'à douze, en mémoire des Apôtres. Les douze frères élisent enfin le treizième qui est obligatoirement l'un des chapelains de l'ordre. Ce chapelain a l'insigne honneur de représenter Jésus-Christ; son rôle essentiel est de maintenir la concorde entre les électeurs. Parmi les électeurs composant ce chapitre exceptionnel, il doit y avoir huit chevaliers et quatre sergents, outre le chapelain. La règle recommande à juste raison de les choisir de différentes nationalités.

Cette formalité remplie, les treize électeurs se présentent devant le couvent. Le commandeur de l'élection qui les conduit demande alors au grand commandeur et à tous les frères présents de prier Dieu pour eux, car lourd est le fardeau qui leur est confié; redoutable, la responsabilité qui leur échoit. Et tous les frères se prosternent jusqu'à terre et supplient le Seigneur à haute voix, les saints et les saintes, pour que soit élu le maître qui sera le meilleur.

Puis les frères se relèvent et le grand commandeur s'adressant aux treize :

« A présent, beaux seigneurs frères, nous vous conjurons, de par Dieu et par ma Dame sainte Marie, et de par mon Seigneur saint Pierre, par tous les saints et les saintes de Dieu, et par tous les frères, sous peine de perdre la grâce de Dieu, si vous ne faites en cette élection ce que vous devez faire, d'élire celui qui vous paraîtra et le plus profitable à la maison, et de la meilleure renommée. »

Le commandeur de l'élection répond :

« Commandeur et vous, beaux frères, priez pour nous, afin que Dieu nous conseille. »

Les treize électeurs se retirent, cependant que le couvent entier se met en prières, prosterné. Dans la salle réservée à cet usage, toutes portes verrouillées, en grand secret selon les prescriptions de la règle, les électeurs comparent les mérites des dignitaires susceptibles de remplir la haute charge de maître souverain. Chacun donne son opinion, bellement et en paix. Si l'un des frères élève par trop la voix, se laisse emporter par la chaleur de ses convictions, le chapelain l'apaise de son mieux. C'est avec gravité et mesure que l'on doit exposer ses sentiments sur tel ou tel; en pleine conscience des intérêts de l'ordre — et seulement ceux de l'ordre! —, qu'il faut décider. Quand l'accord semble se faire sur deux noms, le président met aux voix, non sans avoir adressé une dernière exhortation à ses compagnons. Le frère élu est celui qui recueille la majorité des suffrages. Il est préférable d'élire un templier résidant en Terre sainte, mais les électeurs peuvent porter leur choix sur un frère d'Occident, s'ils jugent qu'il est le meilleur.

Il arrive pourtant que les électeurs ne puissent se mettre d'accord; que les suffrages se partagent sur trois ou sur quatre noms, en dépit des interventions du commandeur de l'élection, des conseils du chapelain. Chaque parti restant sur ses positions, le commandeur et un de ses compagnons reviennent devant le couvent :

« Commandeur et vous, beaux seigneurs frères, priez Dieu qu'Il nous éclaire et nous dirige... »

Il lui est interdit de faire la moindre allusion au désaccord du chapitre. Il ne peut que demander les secours spirituels des frères et des dignitaires présents. Tous s'agenouillent à nouveau et se prosternent; ils implorent le Saint-Esprit de guider le chapitre. Le commandeur de l'élection retourne auprès de ses compagnons. Si le désaccord persiste, est élu maître celui qui a recueilli le plus de voix, sans qu'il y ait donc majorité absolue. Mais, de l'avis de tous, c'est plus belle chose qu'un maître fasse l'unanimité sur son nom.

Si le maître élu appartient au couvent de Terre sainte, et par conséquent se trouve présent, voici le cérémonial — très curieux, mais symptomatique — que doit suivre le commandeur de l'élection. Parlant au nom de ses compagnons, il se présente devant le couvent et déclare :

« Beaux seigneurs frères, rendez grâce et merci à Notre-Seigneur Jésus-Christ et à Madame sainte Marie, à tous les saints et à toutes les saintes, de ce que nous nous sommes mis d'accord. Nous avons de par Dieu élu par vos commandements le maître du Temple. Vous tenez-vous pour satisfaits de notre choix ? »

Remarquons que, posant cette question, il n'a pas

encore précisé le nom de l'élu. Cependant les frères doivent répondre :

« Oui, de par Dieu ! »

Ensuite il s'approche du grand commandeur et lui demande :

« Commandeur, si Dieu et nous vous avons élu maître du Temple, promettez-vous d'obéir tous les jours de votre vie au couvent et de maintenir les bonnes coutumes de la maison et ses bons usages ? »

Et le grand commandeur répond :

« Oui, s'il plaît à Dieu ! »

Cela ne signifie pas que le grand commandeur ait été élu. D'ailleurs le commandeur de l'élection pose la même question à plusieurs dignitaires ou prud'hommes de la maison, susceptibles d'avoir été élus, et chacun d'eux répond à son tour :

« Oui, s'il plaît à Dieu ! »

C'est le serment préalable. A partir du moment où le maître est proclamé comme tel, c'est lui en effet qui reçoit les serments, mais il ne peut prêter serment à aucun des frères. Parmi les dignitaires et prud'hommes questionnés par le commandeur de l'élection se trouve d'ailleurs l'élu, mais ce dernier l'ignore. L'instant est solennel. Le commandeur aborde enfin l'élu et lui dit :

« Frère N..., au nom du Père, du Fils et du Saint-Esprit, nous vous avons élu et vous élisons pour maître. »

Et, s'adressant aux frères du couvent :

« Beaux seigneurs frères, rendez grâces à Dieu, voici notre maître. »

Aussitôt les chapelains entonnent le *Te Deum laudamus*. Les frères se lèvent, s'avancent vers le nouveau maître en toute joie et grande dévotion, et le portent triomphalement à la chapelle. Agissant ainsi, c'est au crucifix qu'ils présentent leur seigneur, pour remercier de son élection.

Le maître s'agenouille devant l'autel.

« *Kyrie eleison ! Christe eleison ! Kyrie eleison !* »

psalmodient les chapelains, et commence la récitation des psaumes. La cérémonie s'achève par une oraison. On demande au Seigneur qu'il conduise le nouveau maître dans la bonne voie...

La règle recommande aux électeurs de ne pas divulguer les incidents et discussions de leur chapitre, ni les noms des frères évincés, ni ceux de leurs partisans, ni les propos qui ont été échangés, « car grand esclandre et grande haine en pourraient sourdre ».

Derniers maîtres du Temple en Orient

L'élection à laquelle participa frère Jocelin fut celle de Guillaume de Beaujeu, le 13 mai 1273. Il succédait au maître Thomas Bérard, trépassé au mois de mars de la même année. La phase terminale de l'élection, telle qu'on l'a décrite, fut différente pour Beaujeu, car il ne résidait pas en Terre sainte; il était alors maître de la province de Pouille. On ne lui conféra donc l'investiture qu'à son arrivée en Terre sainte. Il a cependant paru préférable, pour l'information des lecteurs, que les modalités et le rituel de l'élection du maître fussent complets.

La maîtrise de Thomas Bérard s'achevait dans le désarroi; elle avait été traversée d'échecs retentissants, jalonnée d'événements tragiques. Les efforts, l'habileté diplomatique, le courage de Bérard et de ses compagnons avaient été inutiles. La Terre sainte était condamnée. Rien, désormais, ne pouvait rétablir la situation. Il eût fallu une aide massive et rapide, un mouvement comparable à celui qui avait permis la conquête de Jérusalem au temps de Godefroi de Bouillon et de ses preux. Or, en Occident, la tragédie de la Terre Absolue ne rencontrait plus guère que l'indifférence. On était las d'envoyer des renforts et de l'argent. Cette terre lointaine était un gouffre où disparaissaient les trésors et la fleur des chevaliers. C'était donc en vain que le patriarche de Jérusalem, le maître du Temple, les principaux dignitaires de l'ordre, tous ceux qui avaient une responsabilité et surtout une juste connaissance de la situation, multipliaient les appels au secours, expédiaient message sur message au pape et aux rois. En vain qu'ils imploraient des renforts. Les revenus des ordres militaires ne suffisaient plus à payer les turcopoles qui, jusque-là, compensaient le manque d'effectifs. En vain que le patriarche s'écriait : « Pour l'amour de Dieu, faites la paix entre les Génois et les Vénitiens, empêchez les pauvres et les pèlerins de faire le voyage en Orient, obtenez pour nous la dîme du royaume de Chypre et de Jérusalem à dépenser pour la défense d'Acre et de Jaffa, et hâtez le départ d'une nouvelle croisade... » Qui avait envie de prendre la croix, hormis le pieux roi de France ? En attendant d'aller mourir à Tunis, il entretenait Geoffroi de Sergines et son contingent de volontaires en Terre sainte, ce qui lui coûtait fort cher. Pouvait-il faire davantage, en face d'une opinion de plus en plus hostile aux aventures lointaines ? Sur cette opinion, nous sommes admirablement renseignés par le bon Rutebeuf, poète de service, propagandiste en vers selon le génie du temps. Il n'écrivit pas moins de onze grands poèmes pour fustiger les tièdes, les égoïstes, les frivoles, et les inciter à partir outre-mer. Le plus célèbre de ces poèmes est la *Disputaison du Croisé et du Décroisé*. C'est un débat entre celui qui a pris la croix et celui qui ne veut pas la prendre et préfère « déduire et solacier ». Il déclare sans embages :

> Clercs et prélats doivent venger
> La honte Dieu, qu'ils ont sa rente;
> Ils ont à boire et à manger,
> S'il ne leur chaut s'il pleut ou vente...

Ou encore :

> Je ne fais tort à nul homme,
> Nul homme ne fait de moi clamour (clameur);

Je couche tôt et tiens grand somme
Et tiens mes voisins à amour...

Après l'épicurisme, le scepticisme :

Si Dieu est nulle part au monde;
Il est en France, c'est sans doute.
Ne cuidez (croyez) pas qu'il se répande
Entre gens qui ne l'aiment goutte...

Cependant la Terre de Promission, si chère aux
cœurs du siècle précédent, était en train de devenir,
selon l'expression du même poète, la Terre de
« Trébulation ». En 1257, il y avait eu un moment d'espérance. Les Mongols, qui passaient pour vaguement
chrétiens, envahirent l'Asie Mineure et s'avancèrent
jusqu'aux frontières syriennes. Il y avait une partie à
jouer, si peu que les princes d'Occident et l'empereur
de Byzance consentissent à intervenir. A tout le moins
aurait-il fallu que les barons de Terre sainte s'unissent
et, les uns et les autres, adoptassent une politique commune, soit à l'égard des Mongols, soit à l'égard des
Arabes. Mais, fidèles à eux-mêmes, ils se divisèrent.
Une seconde vague mongole, conduite par Hulagu,
petit-fils de Gengis Khan, ravagea la Syrie musulmane
et occupa Damas, avec l'appui de Bohémond d'Antioche et d'une partie des barons latins. Les autres
Poulains, pour faire pièce à Bohémond, s'allièrent au
sultan Beybars et à ses Mameluks, erreur si grave
de conséquences qu'elle équivalait à une trahison, pis :
elle signait la condamnation du royaume. Car, devant
le danger, une fois de plus les Arabes se ressaisirent,
firent taire leurs rivalités et se rangèrent sous les
ordres de Beybars. Ce dernier était une sorte de
Saladin, mais, s'il se montrait aussi implacable, il
n'avait point son caractère chevaleresque. Le 3 septembre 1260, il écrasa les Mongols à Aïnjâloud, stop-
pant définitivement leur invasion. Au comble de son

prestige, il fit assassiner le sultan du Caire et fut dès lors le seul maître de l'Islam. Rien ne s'opposait plus à la reconquête du royaume de Jérusalem, si ce n'était une très improbable croisade. Beybars ne manifesta aucune hâte; au contraire, il prépara avec soin l'expédition projetée, mûrit son plan, rassembla ses forces, ses machines et ses munitions.

Ce ne fut qu'au début de 1265 qu'il déclencha soudain son attaque. Au cours d'un raid foudroyant, il prit Césarée (le 27 février), Arsuf (le 26 avril) et diverses places secondaires. L'année suivante, il s'empara du château templier de Saphet dont il fit massacrer tous les défenseurs. En 1268, ce furent Jaffa (7 mars), Beaufort (5 avril), Banyas (le 26) et Antioche (15 mai). La mobilité de ses troupes et leur nombre lui permettaient d'attaquer à la fois au nord et au sud. Dans cette période se situe l'épisode de Gastein, relaté dans les versions française et catalane de la Règle. Gastein était un petit château templier relevant de la baillie d'Antioche, poste avancé de la vallée de l'Oronte. Antioche étant tombée, les templiers de Gastein ne pouvaient compter sur aucun secours. Le désespoir saisit l'un d'eux, le frère Guy d'Ibelin. Il sortit du château et vint offrir la reddition à Beybars. Devant pareille trahison, les templiers décidèrent de résister. Mais les sergents, qui n'appartenaient pas à l'ordre et n'étaient que des mercenaires, refusèrent de se sacrifier. Les chevaliers restèrent donc seuls, en face de l'armée du Sultan dont on signalait l'approche. Alors, en toute hâte, ils démantelèrent du mieux qu'ils purent la forteresse, s'efforcèrent de détruire les provisions et se replièrent sur le château de La Roche-Guillaume moins exposé. Le maître Thomas Bérard se trouvait à Acre. Apprenant la chute d'Antioche, ne pouvant d'autre part secourir les templiers de Gastein, il envoya le frère Pelesport porter un ordre de repli. Pelesport trouva les fugitifs à La Roche-Guillaume et les ramena à Saint-Jean-d'Acre. Ils crièrent merci de leur faute, en dépit des circonstances dramatiques en lesquelles ils l'avaient commise. Le chapitre fut partagé sur la sanction à leur infliger. Selon les uns, ils devaient être exclus de l'ordre, puisqu'ils avaient abandonné sans permission du maître le château qu'il leur avait confié. Selon les autres, ils devaient être absous, compte tenu de l'intention et des circonstances. L'affaire resta en suspens; il semble que le maître, pour un motif qui nous échappe, demanda l'avis d'un chapitre en Occident : simple consultation juridique. Et l'avis fut que, si les frères de Gastein pouvaient être excusés de la perte du château, ils n'étaient pas moins coupables de ne l'avoir pas, dans leur précipitation, entièrement démantelé et de n'avoir pas détruit la totalité des provisions. On leur infligea en conséquence la perte de l'habit pour un an et un jour, selon la règle. Ce n'est point par hasard que l'on insiste sur cette affaire. Elle prouve que le maître Thomas Bérard ne tolérait aucun fléchissement; qu'il appliquait une inflexible discipline. Alors que tout s'effondrait autour d'eux, les templiers restaient donc identiques à eux-mêmes, purs et durs. Mais, sous leur rigueur et malgré l'ardeur de leurs convictions, quelles détresses inavouées, quel sentiment d'impuissance ! L'un d'eux, un anonyme — on l'appelle parfois Olivier le Templier — exhala sa colère et sa douleur en un poème écrit en langue d'oc et qui a été conservé :

« La colère et la douleur se sont assises dans mon cœur, à tel point que j'ose à peine rester en vie. Car on nous rabaisse la Croix que nous avons prise en l'honneur de Celui qui fut crucifié. Ni la Croix ni la Loi ne valent plus rien pour nous; elles ne nous protègent plus contre les Turcs félons, que Dieu maudit ! Mais, il semble, à ce qu'il paraît, que Dieu veuille les soutenir pour notre perte. Ils ont conquis d'abord Césarée, et pris d'assaut le château d'Arsur. Aï, Seigneur Dieu, où sont-ils passés les sergents et les bourgeois qui étaient sur les remparts d'Arsur ? Hélas ! le royaume d'Orient a tant perdu qu'à dire vrai jamais il ne pourra se relever. Ne croyez pas que la Syrie s'afflige, car elle a juré et déclaré que nul chrétien ne restera, s'il se peut, dans la contrée. On fera une mosquée de l'église de Sainte Marie, et puisque son Fils, qui devrait en avoir douleur, se plaît au vol, nous sommes forcés de nous y complaire avec lui! Bien fou celui qui veut combattre les Turcs, puisque Jésus-Christ ne leur conteste plus rien. Ils ont vaincu, ils vaincront, cela me pèse, Français et Tartares, Arméniens et Perses. Ils savent que, chaque jour, ils nous abaisseront un peu plus, car Dieu dort qui veillait autrefois, et Mahomet resplendit de puissance et fait resplendir le sultan d'Egypte. Le pape fait grande largesse de pardons aux Français et aux Provençaux qui l'aident contre les Allemands. Il manifeste grande convoitise, car notre Croix ne vaut pas une croix tournoise et qui veut, laisse la croisade pour la Lombardie... »

Car il y avait cela, en plus! Aux malheurs de la Terre sainte s'ajoutaient les malheurs de la guerre des Guelfes et des Gibelins, en Lombardie. Il était exact que le pape accordait les mêmes indulgences aux volontaires qui se battaient pour sa cause contre les Allemands. Il détournait ou rappelait les croisés de Terre sainte. Il avait même excommunié un maréchal du Temple (Etienne de Sissey), coupable d'avoir entravé le recrutement que le légat du pape prétendait effectuer en Terre sainte. On imagine quels purent être le désarroi et la douleur des templiers, abandonnés et même trahis par leur protecteur! Et dès lors, on comprend mieux l'amertume du poème *Ira et Dolor* cité plus haut.

Lorsque Guillaume de Beaujeu arriva à Saint-Jean-d'Acre après deux ans de pérégrinations en Europe, de démarches auprès des princes et de supplications inutiles, il trouva la situation suivante : le royaume de Jérusalem, après les campagnes victorieuses de Beybars, se réduisait aux villes de Saint-Jean-d'Acre, Tripoli, Tortose et Beyrouth (Baruth), aux forteresses de mer d'Athlit et de Sayète. La princée d'Antioche n'existait plus. Les places du Sud, Césarée, Jaffa, Arsuf, étaient aux mains des Musulmans. Les châteaux templiers de Beaufort, Chastel-Blanc, Saphet avaient succombé, ainsi que le krak des Hospitaliers réputé imprenable. Ces derniers tenaient encore Margat, et les teutoniques, Montfort. Il tombait sous le sens que les dernières places ne pourraient longtemps résister. Par bonheur, la mort de Beybars en 1277, les rivalités de ses héritiers différèrent l'ultime assaut. Le monde islamique se retrouvait morcelé, sans chef véritable, ce qui n'empêchait pas les rezzous autour des villes encore chrétiennes. Le maître du Temple, celui des hospitaliers, celui des teutoniques avaient fait taire leurs rancunes; ils s'unissaient dans le sacrifice, sachant qu'à moins d'un miracle, il n'y avait d'aide à attendre de personne. La seconde croisade de saint Louis, même détournée sur Tunis, aurait pu sauver la Terre sainte, tout au moins lui procurer une période d'accalmie. La mort du saint roi avait sonné le glas des illusions. On ne pouvait que durer et tenter de maintenir ce qui avait échappé au désastre. Mais dans quel but ? Qui, désormais, serait assez hardi pour venir en pèlerinage sur les Lieux saints ? Qui oserait revendiquer la Terre Absolue au nom de la Chrétienté, sinon les moines-soldats ? Eux seuls persistaient à se croire les gardiens de cette Terre et, dans cet acharnement chimérique, prétendaient sauver l'honneur de l'Eglise, quand l'Eglise elle-même renonçait, se détournait, choisissait une autre voie.

Quant aux Poulains, ils dansaient sur un volcan, saisis par une frénésie de luxe, de plaisirs, de parades, par surcroît divisés en deux factions hostiles. Lorsque Henri II de Chypre vint se faire couronner à Saint-Jean-d'Acre, ils passèrent quinze jours en fêtes et en tournois, avec l'ennemi aux portes ! Si ce couronnement avait mis fin aux querelles, on aurait excusé ces futilités, mais, les chandelles éteintes, les luttes reprirent de plus belle entre les partis et, même, à l'intérieur des partis. L'anarchie s'installa définitivement, amenant les Tripolitains à ériger leurs ville en république indépendante. Guillaume de Beaujeu prêchait en vain la réconciliation, s'efforçait de ne pas donner de gages afin de préserver la neutralité de l'ordre. Il manifestait — nous le savons par le chroniqueur surnommé le Templier de Tyr — la hauteur de vue, l'objectivité, l'autorité même d'un véritable homme d'Etat. De sorte qu'il n'est pas exagéré de prétendre qu'il fut le dernier roi de Jérusalem, roi sans couronne et sans espérance, sans argent et sans armée, mais imposant encore le respect.

Où l'on prend congé de frère Jocelin

Commandeur des chevaliers, Jocelin avait vu fondre les escadrons, décimer les contingents arrivés d'Occident et que l'on équipait en hâte, tomber les châteaux, massacrer les chrétiens, ne sachant même plus combien des frères les plus chers à son âme avaient disparu. Il survivait, malgré lui, à plus de trente années de service en Terre sainte, en dépit de la lassitude, des blessures reçues, de la honte des défaites! Jamais pourtant il n'avait fui, ni refusé le combat, ni tenté quoi que ce fût pour se soustraire au martyre qu'il avait accepté et que, dans cette débâcle, il appelait comme une faveur. Il était devenu prématurément un vieil homme au teint bruni par le soleil, aux traits burinés, à la barbe et aux cheveux blancs. Où était le grand garçon aux joues de pêche et aux lèvres vermeilles de la commanderie de Coulommiers, au cœur bondissant, à l'espérance intacte, impatient de faire de grandes choses ? Il n'avait fait que prier et se battre, se battre et prier, tantôt en rase campagne, tantôt dans les forteresses de l'ordre ou sur le rempart des villes, et tantôt expédié en mission de reconnaissance avec une poignée de chevaliers en terre hostile, et tantôt rappelé à la maison chevetaine pour y remplir quelque emploi. La Providence veillait sur lui, semblant lui réserver quelque haut destin : il ne se demandait pas lequel; il ne cherchait pas davantage une fin glorieuse; il exécutait simplement les commandements de ses chefs. Un autre aurait pu croire qu'on le tenait en particulière estime et que l'on veillait à lui éviter le pire : par deux fois on l'avait renvoyé à Saint-Jean-d'Acre avant un désastre total dont il n'eût pas réchappé. Par deux fois il avait pleuré ses compagnons décapités ou pendus par les Arabes. Mais voici qu'une flèche l'a frappé dans le dos, se plantant dans une épaule, au retour d'une patrouille autour d'Acre, à la tombée de la nuit. Il est rentré dans la ville, à demi couché sur son cheval et soutenu par ses frères d'armes. On l'a porté à l'infirmerie où les « mires phesiciens » ont extrait le fer et cautérisé la blessure. Mais l'âge aidant et la longue fatigue aggravée de tristesse, le chevalier que l'on réputait indestructible se prend d'un mal de langueur, ne parvient pas à guérir. Réagissant contre cette faiblesse qui anémiait ses membres et lui faisait perdre l'équilibre, il a voulu, contre l'avis des frères infirmiers, reprendre du service. Trois fois en une semaine, il est tombé de cheval et, la semaine suivant, s'opiniâtrant dans son délire, on l'a rapporté évanoui. Il a attendu encore trois semaines à l'infirmerie, se gorgeant de viandes choisies et de bon vin, mais un soir, la toux l'a saisi, en quintes si violentes que le sang lui est venu aux lèvres. Il a regardé ses mains amaigries, tâté la chair flasque de ses jambes et de ses bras, et des larmes d'impuissance se sont mises à couler de ses yeux. Une nuit entière, ne pouvant trouver le sommeil, mains jointes sur son pauvre lit de soldat, il a médité. Le lendemain, il a endossé sa robe la plus propre, bouclé son ceinturon de cuir noir et il s'est présenté au maître Guillaume de Beaujeu, le maréchal étant absent. Il s'est agenouillé devant lui en chancelant et, devant cette pâleur mortelle, le maître lui a parlé avec douceur, l'a courtoisement aidé à se relever et fait asseoir. Frère Jocelin voulait retenir ses larmes, mais dès lors il ne le put.

« De par Dieu, seigneur maître, dit-il, je suis blessé et malade. Je ne puis guérir et, contre ma volonté, je chois de cheval. Selon notre règle, veuillez remettre mon harnais à ceux qui peuvent mieux servir la maison que moi. Puisque je ne peux autre chose, avec votre congé, seigneur maître, je prierai... Si on le trouve bon pour l'ordre, je peux aussi servir d'écrivain à la secrétairerie... J'ai appris la langue et l'écriture sarrasines...

— Beau frère commandeur, demanda le maître, depuis combien d'années êtes-vous sous l'armure d'obédience ?

— Trente-sept années.

— Depuis quand dans nos maisons de Sainte Terre ?

— Trente-deux... Sire maître, c'est chagrin pour le vieux templier que de se retirer du service !

— Pensez, beau frère, à nos compagnons captifs, ou à ceux qui furent frappés du mal de lèpre et sont partis dans les mésèleries, morts-vivants !

— C'est pire peine que de poser l'épée à l'heure du péril ; c'est la plus lourde croix aux épaules du vieux soldat... »

Un visiteur de l'ordre était alors en partance pour l'Occident, afin de collecter des fonds et de recruter des volontaires s'il en trouvait. Par miséricorde et parce que les mires avaient recommandé le changement de climat, les prud'hommes, ne voulant pas laisser croupir le vénérable Jocelin dans son mal, le donnèrent pour lieutenant à ce dignitaire. Frère Jocelin embarqua donc sur une galère du Temple, retraversa la mer Méditerranée en sens inverse, après trente-deux ans ! Il laissait sur les rivages d'Orient sa jeunesse, son passé, ses espoirs, mais non les souvenirs heureux ou poignants qu'il avait amassés dans sa longue et tumultueuse carrière, au cours des batailles avec les Sarrasins, pendant les veilles sur les chemins de ronde ou par les nuits de bivouac lorsque le croissant de lune étincelait sur le sable parmi les constellations. Il débarqua à Collioure, si las de cette navigation que le visiteur le fit conduire à la commanderie de Douzens où les frères de l'infirmerie lui prodiguèrent leurs soins. Autour de la maison, c'était un paysage tourmenté de garrigues. La montagne d'Alaric dominait les croupes blanchâtres des collines plantées de pins et de maigres arbustes. Dans la vallée de l'Aude, de part et d'autre de la rivière, les vignes et le blé entremêlaient leurs couleurs et les feuilles grises des oliviers remuaient sous le soleil. Une lumière ineffable embellissait ce paysage qui ressemblait à la Judée. C'est là que frère Jocelin s'éteignit, sans une plainte, ou plutôt, selon l'expression templière, là que Dieu lui fit son commandement. Comme il n'avait à lui que sa robe, on la lui laissa; son menu bagage et son épée revinrent à la commanderie. On dit une messe dans la chapelle, puis on le coucha parmi les frères défunts dans la terre rougeâtre de l'enclos. Les frères de Douzens récitèrent pour lui cent pater dans la semaine qui suivit sa mort. Selon la règle, un pauvre fut nourri pendant quarante jours, comme si Jocelin eût vécu. Tout était bien pour lui. Il avait vécu et il était mort selon le précepte que l'on enseignait aux jeunes chevaliers : « De jour et de nuit qu'il tienne avec courage sa profession et se puisse comparer au plus sage de tous les prophètes, lequel dit : *Calicem salutarem accipiam.* C'est-à-dire : je prendrai le calice de salut. Ou encore : je vengerai la mort de Jésus-Christ par ma mort. Car, ainsi que Jésus-Christ offrit son corps pour moi, je suis prêt à offrir mon âme pour mes frères. C'est là le sacrifice qui plaît à Dieu. »

CHAPITRE X

PASSION ET FIN DU TEMPLE

> *Ha! roi de France, roi de*
> *France!*
> *Acre est toujours en balance.*
> *Secourez-la, s'il est métier!*
> *Servez Dieu de votre substance...*
> RUTEBEUF.

EN vérité, la Providence, en envoyant mourir Jocelin en Roussillon, l'avait, encore une fois, préservé! Le Souverain Maître lui avait fait son commandement, avant que ne commençât l'agonie du Temple. Jocelin ne sut jamais qu'en Acre le couvent avait été massacré par les Sarrasins et que les derniers templiers évacuaient la Terre sainte. Il ne sut pas davantage comment un roi de France et un pape allaient s'y prendre pour couvrir de souillures et finalement détruire la sainte compagnie des chevaliers du Christ. Ses compagnons de naguère, ceux qui l'avaient connu et aimé comme un frère, pouvaient envier son sort et regretter de lui survivre! Au moins était-il mort bellement et en paix, avait-il eu les funérailles qui conviennent à un chevalier, et sa dépouille avait-elle reçu une sépulture honorable. Mais, eux, les rescapés, la honte, les tourments, le déshonneur public les guettaient...

L'homme véritable

En 1289, la commune libre de Tripoli avait été prise par le sultan Qelaoun, malgré les secours envoyés au dernier moment. Qelaoun avait massacré les défenseurs et la population, et fait abattre les remparts. Ne résistaient plus dès lors que Saint-Jean-d'Acre et les châteaux templiers de Sayète, Baruth et Chastel-Pèlerin (Athlit). Une trêve fut conclue entre le pseudo-roi de Jérusalem et le sultan. Elle fut rompue par les chrétiens. Le pape s'était enfin décidé à expédier vingt galères de secours. Lorsque les nouveaux croisés — qui furent les derniers ! — débarquèrent, on ne put les empêcher de massacrer de pauvres fellahs, pour venger les habitants de Tripoli. Le sultan réclama, à juste titre, leur châtiment. On tergiversa, comme à d'habitude, et l'on finit par envoyer des excuses à Qelaoun qui ne les accepta pas. Toutefois il ne dénonça pas immédiatement la trêve, car il voulait au préalable terminer ses préparatifs. Il mourut, mais le maître du Temple, Guillaume de Beaujeu, apprit d'un émir, qui était son ami, que le fils de Qelaoun, le sultan Malec-El-Esseraf, rassemblait hommes et machines de siège. Il reçut ensuite cette déclaration de guerre, car, désormais, le maître du Temple incarnait la seule autorité valable aux yeux des Sarrasins :

« Le sultan des sultans, le roi des rois, le seigneur des seigneurs, Malec-El-Esseraf, le puissant, le redoutable, le chasseur de rebelles, le chasseur des Francs et des Tartares, et des Arméniens, l'arracheur des châteaux aux mains des mécréants, à vous le maître, le noble maître du Temple, le véritable et le sage, salut et bonne volonté. *Parce que vous avez été un homme véritable*, nous vous mandons lettres de notre volonté, et vous faisons savoir que nous venons en vos parties pour amender les torts commis, pour quoi nous refusons que la communauté d'Acre nous mande lettres car nous ne les recevrons point... »

Malec-El-Esseraf parut sous Acre avec son armée, le jeudi 5 avril 1291. La disproportion des forces était énorme, encore qu'il faille se défier des exagérations sarrasines à ce sujet. Acre réunissait huit cents chevaliers et quelque dix mille fantassins, y compris les templiers de Beaujeu et ses turcopoles. Le sultan disposait de cent mille guerriers, semble-t-il, bien que les chroniqueurs arabes parlent de deux cent mille cavaliers et piétons. Pendant une semaine, il ne se passa strictement rien, et cette inaction dut augmenter l'angoisse des défenseurs. En réalité, l'habile Malec choisissait l'emplacement des machines, calculait les angles de tir avec ses ingénieurs, cependant que le gros de l'armée dressait la multitude des tentes. Celle de Malec, la plus haute, était vermeille. Puis quatre grandes balistes et quantité de mangonneaux plus légers et maniables entrèrent en action. Chacune des zones de défense fut ainsi pilonnée de blocs de pierre de dimensions variables. Dans le même temps, les équipes de sapeurs amorçaient leurs galeries. Templiers, hospitaliers, teutoniques, Pisans et Poulains veillaient aux remparts sous les projectiles. On avait, par commodité, aussi pour éviter les querelles, divisé la ville en quatre quartiers. Pour détruire les machines, les templiers tentèrent une sortie. Elle faillit réussir. Les chevaliers de fer, conduits par le maître Guillaume, enfoncèrent les lignes adverses et, emportés par l'élan de leurs chevaux, parvinrent jusqu'aux tentes. Mais les bêtes s'empêtrèrent dans les cordes et les piquets. Et, sous la contre-attaque du sultan de Hama, les templiers durent tourner bride et rentrer dans Acre. Ils renouvelèrent nuitamment leur tentative. Mais, quand ils furent dehors, le camp s'illumina et ils durent encore lâcher prise. Les contre-sapes n'arrêtèrent point les ouvriers de Malec. La tour Maudite, minée à la base, ébranlée par les mangonneaux, s'écroula. D'autres ouvrages, largement fissurés, menaçaient ruine... Cependant Malec ne se hâtait pas d'ordonner l'assaut. Sur ces entrefaites, « le roi de Jérusalem », Henri de Lusignan, débarqua à Chypre avec des vivres et des renforts. Jugeant la situation désespérée, il entama des négociations avec le sultan. Elles échouèrent. Le 16 mai, la tour Neuve s'effondra. Les défenseurs s'efforcèrent de colmater la brèche géante avec des planches et des pieux. Le sultan ne donnait toujours pas l'ordre d'attaquer, comme s'il voulait laisser aux habitants le temps d'évacuer la ville. Mais la mer était mauvaise et gênait l'embarquement. Le vendredi 18 mai, « une grande nacaire » retentit. On vit l'adversaire s'avancer sur trois lignes d'assaut, la première couverte de grandes targes, la seconde formée d'incendiaires (ils portaient des pots de naphte et des grenades au pulvérin), la troisième d'archers. Ces derniers tiraient des flèches emplumées « si épaissement qu'il semblait pluie venue du ciel ». Soudain les assaillants se séparèrent en deux corps, l'un se dirigeant vers la porte Saint-Antoine, l'autre vers la porte Saint-Romain.

Entendant la rumeur, Guillaume de Beaujeu prit avec lui une douzaine de ses chevaliers et, suivi du maître de l'Hôpital et de quelques-uns de ses compagnons, il courut à la porte Saint-Antoine, pour essayer d'endiguer le flot immense des assaillants. Il fit d'inutiles prodiges. Comme il levait le bras gauche pour donner un ordre, il reçut une flèche dans l'aisselle :

« Et quand il se sentit féru (blessé) à mort, il se mit à aller; et l'on crut qu'il se retirait pour se sauver. Celui qui portait le gonfanon se retira avec lui, et tous les templiers. Alors des croisés de Spolète qui se trouvaient là, crièrent :

« Ah! pour Dieu, sire, ne partez pas, sinon la ville est « perdue! »

« Il répondit :

« Seigneurs, je n'en puis plus, car je suis mort, voyez
« le coup... »

« A donc vîmes-nous le trait clavé (cloué) dans son
corps. Et, sur cette parole, il jeta le dard par terre et
torsa le cou, et allait tomber de sa bête, mais ceux de
sa meynie saillirent jus de leurs bêtes et le soutinrent, et le déchevauchèrent, et le mirent sur un écu
qu'ils trouvèrent là, jeté, qui était très grand et très
long. »

On le transporta dans la forteresse du Temple où il
rendit son âme à Dieu, sans proférer une parole.
Dehors, c'était la débâcle; tout fuyait, guerriers, marchands, femmes avec leurs enfants dans les bras.
Cependant dix mille fugitifs trouvèrent refuge dans la
grande templerie. Elle donnait, on s'en souvient, sur la
mer : on l'appelait « la Voûte d'Acre ». Le maréchal du
Temple, Pierre de Sévry, avait pris le commandement.
Il fit embarquer sur les bateaux disponibles tout ce
qu'ils purent contenir. Pendant dix jours, ses chevaliers
repoussèrent les assauts forcenés des Sarrasins. Ce que
voyant, le sultan lui fit proposer une capitulation honorable. Le maréchal accepta. Mais, lorsque les premiers
Sarrasins entrèrent dans la forteresse, ils s'en prirent
aux femmes que l'on n'avait pu évacuer. Les templiers
les massacrèrent, puis relevèrent le pont-levis. Le sultan dissimula sa fureur et proposa de reprendre les
négociations. Quand le maréchal et sa suite se présentèrent à lui, au mépris de la parole donnée, il les fit
décapiter. Les templiers restés dans la forteresse décidèrent alors de se défendre jusqu'au dernier et, Dieu
aidant, de s'ensevelir sous les ruines de la commanderie. Les assaillants minèrent la muraille et, ayant
ouvert une large brèche, s'y ruèrent, mais les étrançons
des sapes cédèrent sous leur poids, provoquant l'écrou-
lement massif de la Voûte. Selon leurs vœux, les tem-

pliers d'Acre moururent sous les décombres, mais, avec eux, deux mille Infidèles.

C'était le 28 mai 1291. La chute de Saint-Jean-d'Acre entraînait inéluctablement celle du royaume de Jérusalem (ce que l'on appelait encore ainsi !) et la reddition des dernières places. Les templiers de Sayète élurent pour maître Thibaud Gaudin, un frère chapelain, puis s'embarquèrent pour l'île de Chypre. Ceux de Chastel-Pèlerin évacuèrent aussi leur forteresse, inviolée, et rallièrent Chypre. Ceux de Baruth, trop confiants, acceptèrent de capituler avec les honneurs de la guerre. Les Sarrasins les désarmèrent et les pendirent, tous.

Jacques de Molay

Thibaud Gaudin mourut en 1293 et Jacques de Molay lui succéda. Il avait reçu le manteau blanc dans la commanderie de Beaune en 1267, des mains du visiteur Hugues de Péraud. C'était donc un homme d'une cinquantaine d'années. Qu'allait-il faire de l'ordre du Temple ? Et quelle était la situation respective de ce dernier par rapport aux hospitaliers et aux teutoniques ? La plus mauvaise assurément. Les hospitaliers possédaient des biens considérables dans l'île de Chypre ; à défaut d'activités militaires, ils pouvaient continuer à soigner dans leurs hôpitaux les malades et les blessés, et recueillir les réfugiés de Terre sainte. Les teutoniques, bien avant la chute de Saint-Jean-d'Acre, avaient transféré le gros de leurs forces en Prusse où ils connurent l'extraordinaire fortune que l'on sait, puisque l'on peut les considérer comme les lointains fondateurs de ce royaume et de l'empire allemand. Les templiers étaient comme des étrangers à Chypre : leur vocation principalement militaire les rendait désormais inutiles, superflus, voire suspects. Jacques de Molay comprit probablement cela, mais ce fut en vain qu'en 1303 il tenta de réoccuper l'île de Tortose et d'y établir une solide base de départ pour une éventuelle, une illusoire reconquête! Deux solutions s'offraient à lui : ou rentrer en Occident, mais dans quel but? ou négocier l'acquisition de domaines avec les Chypriotes et les hospitaliers afin d'y asseoir la maison chevetaine et de préparer la revanche. Il préféra la première et rentra en France à la tête d'un cortège quasi princier qui ne convenait certes pas à un chef sans doute glorieux mais vaincu.

C'était un homme sans génie, et l'on ne peut s'empêcher de remarquer qu'en deux circonstances capitales pour la survie de l'ordre, les templiers firent des choix malheureux : quand ils élurent Gérard de Ridfort, triste aventurier, avant le désastre des Cornes de Hâttin (1187) et quand ils désignèrent Jacques de Molay. Il aurait fallu un caractère trempé, un esprit subtil et prompt, un homme de la taille de Pierre de Craon. Or, Jacques de Molay, sans doute d'une conduite et d'un courage dignes d'éloges — bien que l'on ne sache quasi rien sur lui —, manquait de discernement et d'imagination. Il donne exactement l'impression d'être de ces personnages qui, parvenus aux plus hautes charges, après des années de subordination et d'attente, s'y installent confortablement et s'y pavanent, sans voir le péril qui guette, sans croire que les institutions ne sont pas immuables. La fin héroïque, exemplaire, qu'il sut avoir en face de ses bourreaux, le mouvement superbe de révolte qui s'opéra en lui, le rédiment sans doute, mais masquent un peu trop sa pauvreté intellectuelle. Pauvreté véritable, et non supposée, et qui transparaît au moins dans un document irrécusable : le mémoire qu'il présenta au pape sur le projet de fusion des templiers et des hospitaliers.

La première idée de cette fusion avait précédé la chute de Saint-Jean-d'Acre. On y voyait un moyen d'apaiser les rivalités et de coordonner les efforts pour le salut de la Terre sainte. Le projet, débattu au concile de Lyon (1274) sous le pape Grégoire X, repris par Nicolas IV et Boniface VIII, allait être abandonné, lorsque Philippe le Bel en saisit à nouveau Clément V. La démarche du roi de France avait pour prétexte une hypothétique tentative de reconquête des Lieux saints, et pour objectif réel de placer les ordres militaires sous la maîtrise unique d'un de ses fils, autrement dit sous son propre contrôle. Le pape Clément V consulta Jacques de Molay, dont le mémoire en réponse atteste l'étroitesse d'esprit, sinon même la mesquinerie. Il estime le projet peu honorable pour deux ordres si anciens, et plein de périls pour les âmes, car le diable ne manquerait pas d'allumer des querelles. Les fortunes des deux ordres étant inégales, le partage serait injuste. Les règles étant différentes, il serait trop dur de contraindre les frères à changer leurs habitudes. Les pauvres n'y gagneraient rien; au contraire ils risqueraient de perdre la nourriture que les templiers leur distribuent. On ne pourrait laisser subsister deux commanderies dans une même ville; il faudrait donc que l'une d'entre elles soit désaffectée : d'où réduction du nombre des commandeurs, autre source de graves discordes; et il en serait de même pour les dignitaires ! On prétend que la réunion des deux ordres mettrait fin à leur rivalité; ce serait causer un grave dommage à la Terre sainte : « car elle a toujours procuré honneur et commodité aux chrétiens et tout le contraire aux Sarrasins, parce que, quand les hospitaliers faisaient une expédition armée contre les Sarrasins, les templiers n'avaient de repos qu'ils n'en eussent fait autant ou plus, et réciproquement ». Selon lui, si cette rivalité n'avait pas existé, templiers et hospitaliers ne se seraient pas donné tant de peine ! Les pèlerins n'auraient pas été recueillis, les sergents n'auraient pas trouvé refuge en aussi grand nombre. Bref, le seul avantage qu'il voie à la fusion, serait l'allégement des dépenses. Il croit aussi qu'il serait plus facile de défendre les droits et les biens, en cas de contestation : « Il est notoire, écrit-il, que toutes les nations eurent autrefois accoutumé d'avoir une grande dévotion à l'égard des religieux; ce qui paraît être complètement changé parce qu'on trouve plus de gens disposés à prendre qu'à donner aux religieux... » Pauvre argumentation, il faut le reconnaître! Comme si la Terre sainte appartenait encore aux chrétiens et que les ordres militaires dussent toujours convoyer les pèlerins et recruter sergents ou turcopoles! Or le maître du Temple rédigeait cet étrange mémoire des années après l'ultime échec de débarquement dans l'île de Tortose; il savait donc la partie perdue sans retour. Dès lors, il était permis de se demander quel emploi il comptait faire des soldats et des richesses du Temple. D'autre part, s'il était sincère, s'il croyait vraiment revenir en Terre sainte et recouvrer les châteaux perdus, quelle absence de sagacité, de jugement! Mais peut-être le pauvre homme craignait-il simplement, dans sa vanité, de céder sa place au maître des hospitaliers. Tout autre, s'identifiant à l'ordre, eût fait valoir l'immensité de ses sacrifices en termes éloquents. Ou bien, songeant à la destination première du Temple, eût recherché si l'intérêt de la Terre sainte était ou non dans ce projet de fusion. Mais Jacques de Molay n'avait ni profondeur ni éloquence. Surpris par la démarche de Clément V, il se butait, finassait sur des points de détail, éludait l'essentiel.

L'ordre d'arrestation

Philippe le Bel eut malheureusement connaissance de ce mémoire. Il comprit admirablement à quelle sorte d'homme il avait affaire et manœuvra en conséquence, mais prudemment. Bien que l'opinion ne fût pas aussi favorable au Temple qu'elle avait été avant la perte de la Terre sainte, elle ne lui était pas hostile dans son ensemble; elle ne le rendait pas encore responsable du désastre. La mort de Guillaume de Beaujeu, le sacrifice des templiers d'Acre étaient connus. De tels hommes n'avaient pas démérité. Les gens du peuple répétaient un peu trop que le roi de France et les prélats n'avaient pas fait tout leur devoir. Si l'on parvenait à prouver que le Temple était coupable, ce serait un jeu d'enfant que de lui imputer la responsabilité de la défaite! Or, au conclave de Pérouse (vers Agen), un traître avait proféré contre l'ordre des accusations épouvantables. Il s'appelait Esquieu de Floyran. Il avait d'abord communiqué ses informations au roi Jayme II d'Aragon qui l'éconduisit. Philippe le Bel, au contraire, l'écouta avec complaisance. Il vit, dans l'instant — car c'était une intelligence supérieure et surtout un esprit diabolique —, tout le parti que l'on pouvait tirer de tels aveux, à supposer qu'on leur donnât une apparence de vérité. Les juristes de son conseil, et surtout Guillaume de Nogaret, s'employèrent à rechercher des témoins, de l'espèce d'Esquieu. Ils en trouvèrent parmi les frères exclus de l'ordre. Ces informations calomnieuses, le roi les communiqua au pape Clément V qui ne résidait pas à Rome, mais qui séjournait à Poitiers : le détail a son importance. Clément V décela fort bien que les accusations étaient mensongères, à tout le moins exagérées. Mais, hôte forcé du roi de France, auquel il devait son élection, c'était aussi un perpétuel hésitant, sans volonté devant ce prince assez hardi et cynique pour avoir fait souffleter le pape Boniface qui en mourut de honte et de chagrin. Il n'était capable que de velléités, voire de petites révoltes sans lendemain; il n'excellait qu'à biaiser, tremblant de perdre sa place, préférant les conseils oiseux de ses cardinaux aux décisions promptes. Il ne savait encore quel parti prendre, lorsque le maître du Temple le tira lui-même d'embarras. Ayant eu vent des calomnies que l'on répandait mystérieusement sur son ordre, Jacques de Molay demandait au pape de prescrire une enquête. En soi, cette demande constituait une présomption d'innocence. Mais, dans la conjoncture, c'était une lourde erreur. Le 24 août 1307,

Clément V annonça à Philippe le Bel qu'il allait ouvrir l'enquête et demandait certaines précisions. Le roi comprit que Clément V se dérobait; que l'enquête, si elle avait lieu, traînerait en longueur et n'aboutirait à rien, sinon à quelques réformes superficielles. Il pouvait même craindre que son résultat fût, en subordonnant plus étroitement le Temple à la papauté, de procurer à celle-ci la force militaire qui lui avait toujours fait défaut. Or Philippe le Bel n'entendait pas que Clément V échappât à son contrôle. La forte pensée de son règne visant à l'étatisation de toutes les institutions du royaume, il voulait intervenir directement dans le choix des évêques dont l'influence était considérable. Bien que le mot d'absolutisme n'existât pas en tant que tel, c'était à cela que tendait Philippe le Bel. Ses conseillers, Guillaume de Nogaret et Enguerrand de Marigny, l'y aidaient. Ils transformaient insensiblement le vieux droit coutumier en droit écrit et s'efforçaient d'établir une administration polyvalente et efficace.

Les « preuves » qu'ils avaient apportées au roi sur la culpabilité des templiers étaient juridiquement inattaquables; elles permettaient donc d'entamer, sans courir trop de risques, la destruction du Temple. Car, roi autoritaire, Philippe le Bel ne pouvait tolérer l'existence dans son royaume d'une pareille organisation, et d'autant que le Temple venait de transférer « sa capitale », on veut dire sa maison chevetaine, à Paris. Le Temple formait une enclave dans le territoire, avec ses structures internes, ses revenus propres, ses forces militaires. Que ferait-il de cette puissance désormais inemployée? En cas de conflit aigu avec la papauté, quel parti prendraient les templiers, alors que leur souverain maître pouvait en peu de jours les mobiliser et compter sur leur obéissance totale? Quel rôle s'apprêtait-il à assumer en France, et selon quel plan secret? N'y avait-il pas, parmi ses dignitaires, des hommes capables d'une pensée politique? Comme ses prédécesseurs, Philippe le Bel n'avait eu cependant qu'à se louer du service de l'ordre, et sans doute davantage. N'avait-il pas trouvé refuge dans l'Enclos du Temple de Paris au cours d'une grave émeute populaire ? Les templiers ne géraient-ils pas le Trésor royal avec exactitude ? Si le projet de fusion des ordres avait réussi et, surtout, si un fils de France était devenu maître à la fois des templiers et des hospitaliers, jamais le scandale de 1307 n'eût éclaté, car il n'y aurait pas eu d'accusations. Et, si même le Temple avait eu, comme l'Hôpital, sa maison chevetaine ailleurs qu'à Paris, à Chypre par exemple, le procès n'eût pas été possible. Donc, ou bien le Temple passait sous le contrôle du roi par quelque subterfuge juridique, ou bien le roi le détruirait, autant que possible en s'appropriant ses richesses. Car l'autoritarisme de Philippe s'aggravait de cupidité ! Le roi multipliait ses agents, mais il n'avait certes pas les moyens de les payer. Le manque d'argent l'avait amené à spolier cruellement les Juifs et les Lombards, et à dévaluer la monnaie. Or les immenses revenus du Temple — désormais sans destination précise — étaient à portée de main. Sans doute Philippe le Bel avait-il confirmé les privilèges des Templiers et, peu d'années auparavant, chanté leurs louanges et resserré les liens entre l'ordre et la monarchie par une sorte de traité d'alliance. Cela ne changeait rien au problème et la duplicité n'était pas pour effrayer le roi ! C'était pourtant une entreprise périlleuse que de s'attaquer au Temple, dans le contexte politico-religieux de l'époque. Il y fallait une audace peu commune, en même temps qu'une absence totale de scrupules. Les légistes du conseil royal étudièrent la procédure à adopter, à partir des mensonges d'Esquieu de Floryan et de ses complices. Avec une habileté consommée, ils parvinrent à donner une texture juridique à ces ragots proférés — et tous le savaient ! — par des créatures indignes. Mais quand on décida de passer à l'exécution, c'est-à-dire de brusquer les choses afin de mettre le pape devant le fait accompli, se manifesta une réticence inattendue de la part du Grand Chancelier de France, gardien du sceau royal, l'archevêque de Narbonne, Gilles Acelin. Ce dernier, pris de doutes, préféra se démettre de ses fonctions. Guillaume de Nogaret se fit un devoir de le remplacer. Dès lors rien ne s'opposait plus à ce que l'ordre d'arrestation des templiers fût envoyé aux sénéchaux et baillis du royaume. Agissant de la sorte, le roi se substituait purement et simplement à l'autorité de l'Eglise, puisque les chefs d'accusation relevaient à peu près tous de son domaine. De plus, en droit canonique, le Temple ne devait avoir pour juge que le pape, son chef suprême et son protecteur. Les légistes de Philippe le Bel tournèrent cette objection. Selon leur thèse, le roi n'avait nullement empiété sur la juridiction ecclésiastique; il l'avait devancée par prudence et par zèle religieux, afin de la mettre à même de s'exercer. Se sentant menacés, les templiers s'apprêtaient à fuir en emportant leurs trésors, prétendaient-ils!

L'ordre d'arrestation, daté du 14 septembre 1307 à l'abbaye de Maubuisson où résidait alors Philippe le Bel, comporte deux parties : un réquisitoire et une instruction.

Le réquisitoire est un monument d'hypocrisie. Il commence ainsi :

« Une chose amère, une chose déplorable, une chose assurément horrible à penser, terrible à entendre, un crime détestable, un forfait exécrable, un acte abominable, une infamie affreuse, une chose tout à fait inhumaine, bien plus, étrangère à toute humanité, a, *grâce au rapport de plusieurs personnes dignes de foi*, retenti à nos oreilles, non sans nous frapper d'une grande stupeur et nous faire frémir d'une violente horreur; et, en pesant sa gravité, une douleur immense grandit en nous d'autant plus cruellement qu'il n'y a pas de doute que l'énormité du crime déborde jusqu'à être une offense pour la majesté divine, une honte pour l'humanité, un pernicieux exemple du mal et un scandale universel... »

Après cet exorde qui donnait le ton de l'affaire et dut pour le moins frapper aussi de stupeur les destinataires, l'auteur de cette ignominie passait aux accusations précises :

« Naguère, sur le rapport de personnes dignes de foi qui nous fut fait, il nous est revenu que les frères de l'ordre de la milice du Temple, *cachant le loup sous l'apparence de l'agneau* et, sous l'habit de l'ordre, insultant misérablement à la religion de notre foi, crucifient de nos jours à nouveau Notre-Seigneur Jésus-Christ déjà crucifié pour la rédemption du genre humain, et l'accablent d'injures plus graves que celles qu'il souffrit sur la croix, quand, à leur entrée dans l'ordre et lorsqu'ils font leur profession, on leur présente son image et que, par une cruauté horrible, ils lui crachent trois fois à la face; ensuite de quoi, dépouillés des vêtements qu'ils portaient dans la vie séculière, nus, mis en présence de celui qui le reçoit ou de son remplaçant, ils sont baisés par lui, conformément au rite odieux de leur ordre, premièrement au bas de l'épine dorsale, secondement au nombril et enfin sur la bouche, à la honte de la dignité humaine. Et après qu'ils ont offensé la loi divine par des entreprises aussi abominables et des actes aussi détestables, ils s'obligent, par le vœu de leur profession et sans craindre d'offenser la loi humaine, à se livrer l'un à l'autre, sans refuser, dès qu'ils en seront requis, par l'effet du vice d'un horrible et effroyable concubinat. Et c'est pourquoi la colère de Dieu s'abat sur ces fils d'infidélité. Cette gent immonde a délaissé la source d'eau vive, remplacé sa gloire par la statue du veau d'or et elle immole aux idoles... »

A cette époque imprégnée de pensée religieuse, c'était plus qu'il n'en fallait pour monter au bûcher : l'hérésie, l'adoration du veau d'or, la sodomie! Cependant l'accusation était si soudaine et monstrueuse, pour tout dire incroyable, qu'il importait de prendre quelques précautions. Le roi avait d'abord douté de la véracité de rumeurs aussi « funestes ». Il avait cru qu'elles provenaient « de l'envie livide, de l'aiguillon de la haine, de la cupidité, plutôt que de la ferveur de la foi, du zèle pour la justice ou du sentiment de charité ». Aperçoit-on le sombre humour qui inspira ces lignes? Le bon roi s'était donc ouvert de ses doutes à son « très saint père dans le Seigneur, Clément, par la divine Providence souverain pontife de la très sainte Eglise romaine et universelle », tout en poursuivant son enquête. Or, plus cette enquête avançait, et plus on découvrait de nouvelles abominations : « Comme en creusant un mur... » Devant cette évidence, le roi n'avait pas le choix, à peine de trahir sa mission traditionnelle de fils aîné de l'Eglise : « Par suite, nous qui sommes établi par le Seigneur sur le poste d'observation de l'éminence royale pour défendre la liberté de la foi de l'Eglise... nous vous chargeons et vous prescrivons rigoureusement en ce qui concerne le bailliage de... de vous transporter personnellement à..., seul ou deux d'entre vous, *d'y arrêter tous les frères dudit ordre sans exception aucune*, de les retenir prisonniers en les réservant au jugement de l'Eglise, et *de saisir leurs biens, meubles et immeubles*, et de retenir très rigoureusement sous votre main ces biens saisis, sans consommation ni dévastation quelconques... » Précaution supplémentaire : le très cher frère en Jésus-Christ Guillaume de Paris, « inquisiteur de la perversité hérétique », avait dirigé l'enquête préalable et conclu à l'arrestation. Philippe agissait donc, non pas en tant que monarque, mais comme bras séculier de l'Eglise et lieutenant de l'inquisiteur. Mais

Guillaume de Paris n'était autre que son chapelain privé!

L'instruction, apportée par les commissaires aux baillis et sénéchaux, n'est pas moins détaillée ni instructive. Elle revêt une importance capitale et nécessite par conséquent une analyse complète, car elle éclaire d'un jour brutal le procès qui devait s'ensuivre.

Premièrement, il incombait à ces commissaires — triés sur le volet, on s'en doute! — d'informer les sénéchaux et les baillis du contenu de leur mission, puis d'effectuer une enquête discrète sur les templeries du ressort, en feignant de l'étendre aux autres maisons religieuses, à l'occasion de la levée de la décime (un impôt décrété en 1307), ou sous un autre prétexte tout aussi anodin, selon le cas.

Deuxièmement, le sénéchal, ou le bailli, désignera des hommes de confiance, selon le nombre et la situation des maisons et des granges. Ce devront être « des prud'hommes puissants du pays, à l'abri du soupçon, chevaliers, échevins, conseillers ». Il ne leur révélera qu'au dernier moment, en secret, sous serment, la besogne qui leur est confiée par le roi, au nom du pape et de l'Eglise. Aussitôt après, il les enverra sur le lieu d'arrestation, avec des forces suffisantes.

Troisièmement, les templiers étant arrêtés, ils dresseront un inventaire de tous les biens meubles qui seront trouvés dans la commanderie, et cela en présence des serviteurs. Ils commettront à la garde de ces biens « des personnes honnêtes et riches du pays » qui veilleront ultérieurement « à ce que les vignes et les terres soient cultivées et semées convenablement ».

Quatrièmement, les templiers étant placés « sous bonne et sûre garde », ils procéderont à leur interrogatoire, *puis* appelleront les inquisiteurs locaux. Les aveux, *obtenus au besoin par la torture*, seront consignés par écrit.

La manière de conduire cette enquête était également indiquée, et son résultat défini par avance avec la plus grande netteté :

« On leur adressera des exhortations relativement aux articles de la foi et on leur dira comment le pape et le roi sont informés par plusieurs témoins bien dignes de foi, *membres de l'ordre*, de l'erreur et de la bougrerie[1] dont ils se rendent spécialement coupables au moment de leur entrée et de leur profession. et *ils leur promettront le pardon* s'ils confessent la vérité en revenant à la foi de Sainte Eglise, *ou qu'autrement ils seront condamnés à mort.* »

Etaient ensuite énumérés les articles de « l'erreur » des templiers :

« Celui qui est reçu demande d'abord le pain et l'eau de l'ordre, puis le commandeur ou le maître qui le reçoit le conduit secrètement derrière l'autel, ou à la sacristie ou ailleurs, et lui montre la croix et la figure de Notre-Seigneur Jésus-Christ et lui fait renier trois fois le prophète, c'est-à-dire Notre-Seigneur Jésus-Christ dont c'est la figure, et par trois fois cracher sur la croix; puis il le fait dépouiller de sa robe et celui qui le reçoit le baise à l'extrémité de l'échine, sous la ceinture, puis au nombril, puis sur la bouche, et leur dit que, si un frère de l'ordre veut coucher avec lui charnellement, qu'il lui faut l'endurer, parce qu'il le doit et qu'il est tenu de le souffrir, selon le statut de l'ordre, et que, pour cela, plusieurs d'entre eux, par manière de sodomie, couchent l'un avec l'autre charnellement et ceints chacun par-dessus la chemise d'une cordelette, que le frère doit toujours porter sur soi aussi longtemps qu'il vivra; et l'on entend dire que ces cordelettes ont été placées et mises autour du cou d'une idole qui a la forme d'une tête d'homme avec une grande barbe, et que cette tête, ils la baisent et l'adorent dans leurs chapitres provinciaux; mais ceci, tous les frères ne le savent pas,

1. Sodomie.

excepté le grand maître et les anciens. De plus, les prêtres de leur ordre ne consacrent pas le corps de Notre-Seigneur; et là-dessus, on fera une enquête spéciale touchant les prêtres de l'ordre. »

On excusera la longueur de cette citation. Mais s'y trouvent inclus très exactement tous les prétendus aveux des templiers, préalablement menacés de mort ou, s'ils résistaient, soumis à la torture. Ces aveux se trouvaient donc rédigés à l'avance, les uns comme les autres, à partir des dénonciations de *membres de l'ordre* qui, en réalité, avaient perdu le manteau blanc en raison de leurs vices ou de leurs crimes. Ce n'est pas tout. Les commissaires étaient invités à envoyer au roi des dépositions écrites de ceux « qui confesseront lesdites erreurs ou principalement le reniement de Notre-Seigneur Jésus-christ ». Ce qui signifie exactement quoi ? Que les commissaires du roi ne devaient consigner que les *aveux* des templiers, à l'exclusion de leurs dénégations; n'expédier à Paris que des documents positifs, c'est-à-dire orientés dans le sens que l'on voulait donner au procès.

Vendredi 13 octobre 1307

Ce qui est proprement stupéfiant, c'est que cette vaste opération policière réussit au-delà des espérances, surtout si l'on considère les moyens de l'époque. Non seulement tous les commissaires du roi menèrent admirablement leur affaire, mais encore le secret ne transpira pas. Ni les baillis, ni les sénéchaux, ni leurs délégués ne parlèrent. Ils parvinrent à réunir, pour investir chaque commanderie du royaume, le nombre d'hommes nécessaire sans que ces convocations bizarres et ces rassemblements alertassent l'opinion. Quand bien même on ne dévoila le but de ces expéditions qu'à l'instant du départ, il est impossible que les templiers n'aient pas été, ici et là, prévenus. Ils ne crurent pas leurs informateurs, ou les dédaignèrent, et cette attitude motive encore en leur faveur. Car, se sachant menacés, n'auraient-ils pas pris leurs mesures, s'ils s'étaient sentis coupables? Il est faux de prétendre qu'ils se mettaient au-dessus de toute justice, hormis celle de l'Eglise; leur comportement pendant le procès prouve le contraire. Fils zélés de l'Eglise, ils n'en étaient pas moins sujets loyaux du roi de France et entendaient le rester. Quant à Jacques de Molay, instrument involontaire du désastre, il nageait en pleine inconscience malgré les avertissements reçus. Le 12 octobre, il assistait aux obsèques de la belle-sœur du roi, tenant le poêle parmi les princes du sang. Si le roi l'honorait de la sorte et reconnaissait avec autant d'éclat le rang princier du maître du Temple, était-il possible de croire qu'il s'apprêtait à l'abattre? Molay pouvait-il concevoir que, le lendemain, il serait chargé de chaînes et humilié par celui-là même qui le traitait comme un proche parent?

Cependant à l'aube du vendredi, l'abominable Nogaret, ne laissant à personne d'autre la conduite de l'opération, cernait l'Enclos du Temple de Paris, et faisait irruption dans le fameux donjon que personne ne songea à défendre contre les gens du roi. Et, partout en France, en Poitou comme en Auvergne, en Aquitaine comme en Bourgogne, à Douzens comme à Renneville, à Montsaunès comme à Payns près de Troyes, dans cette aube tragique du 13 octobre, de petites troupes se mettaient en marche, cernaient les commanderies pour empêcher toute fuite. On demandait la porte au nom du roi. Nulle part, les templiers n'opposèrent la moindre résistance, et pour deux raisons : d'une part ils croyaient n'avoir rien à redouter des hommes du roi, d'autre part la règle leur interdisait formellement de tirer l'épée contre un chrétien; c'était même un cas d'exclusion non susceptible d'adoucissement ou de pardon, quelles que fussent les circonstances. Ils se laissèrent donc cueillir comme des agneaux à la bergerie. D'ailleurs eussent-ils voulu résister qu'ils ne l'auraient pu ! Les commanderies étaient disséminées dans la campagne, coupées de tout contact. L'élite des chevaliers ayant péri dans les derniers événements de Terre sainte, elles n'étaient plus occupées que par des frères anciens ou très jeunes, et des frères agriculteurs qui ne dépassaient pas le rang de sergent, fussent-ils commandeurs. Le Temple constituait une réelle force militaire, mais à condition de mobiliser ses effectifs épars. De plus, ceux qui commandaient les hommes du roi, étaient connus des templiers; c'étaient des notables de la région, parfois même des voisins. Dès lors pourquoi se fussent-ils alarmés quand on leur demanda d'ouvrir, pour un contrôle banal, une simple vérification fiscale ? A Payns, ce fut le chevalier Jean de Villarcel, proche voisin de la commanderie, qui fut envoyé par le bailli de Troyes. Il se fit accompagner par quarante hommes d'armes, à pied et à cheval... et présenta la note de frais, s'élevant à dix-huit sols, « pour pain, pour vin, poisson et autre chose ». A la suite de quoi, les inventaires furent établis, conformément à l'instruction royale, et les templiers captifs, chevaliers et sergents, conduits en prison. Ce spectacle fit l'effet d'un coup de tonnerre. Un poète, anonyme, écrivit :

> L'an mil trois cents et sept, sachez bien qu'en ce
> [temps
> Furent pris les Tempiers, qui moult furent puis-
> [sants,
> Vilment furent menés onques les plus vaillants.
> Je crois bien que ce fut par l'art des mécréants.
>> En cet an qu'ai dit or endroit
>> Et ne sais à tort ou à droit
>> Furent les Tempiers sans doutance
>> Tous pris par royaume de France
>> Au mois d'octobre, au point du jour,
>> Et un vendredi fut le jour...

Une partie d'échecs

A la stupéfaction générale, les templiers avouèrent tout ce qu'on voulut. C'est du moins ce qui ressort des procès-verbaux d'interrogatoire. Ils avouèrent les reniements, les crachats sur la croix, la sodomie (permise, sinon recommandée). Des dénégations, des plaidoyers en défense de l'ordre, pas la moindre trace dans cette phase de la procédure, soit qu'ils eussent été supprimés, soit qu'on ne les ait pas retenus selon les instructions royales. Si l'on en juge par la suite, on est cependant porté à croire que les dénégateurs furent nombreux et passionnés. Certains cédèrent sous les tortures; d'autres y laissèrent la vie. Le plus grave était que les dignitaires avaient avoué : Geoffroi de Charney, précepteur de Normandie, Hugues de Pairaud, visiteur de France, et le maître du Temple, Jacques de Molay lui-même. Et non seulement le maître avait confessé les crimes de l'ordre contre la loi, mais il avait juré qu'il avait dit la vérité pour le salut de son âme et non par suite de violences ou par la crainte des supplices ou de la prison ! Confession extorquée par les sévices moraux, si ce n'était pis, mais qui provoqua un énorme scandale et jeta les frères dans le désarroi. Les meilleurs d'entre eux se demandèrent pourquoi ils affronteraient désormais les tourments et la mort : l'ordre était-il réellement aussi pur et saint qu'ils le croyaient, jugeant sans doute par eux-mêmes et quelques compagnons ? Le doute s'insinuait en eux, abolissant ainsi l'esprit de résistance. Quel pauvre caractère avait Molay pour ne tenir point tête aux bourreaux de Philippe ! Ne point accepter de partager, comme c'était son devoir, le sacrifice des plus courageux, sacrifiant leur existence à la vérité ? Combien il se montrait crédule, pusillanime, pour se laisser abuser par les menaces et les promesses ! Quel revirement de la fortune, quelle issue à cette catastrophe espérait-il ? Comment n'avait-il pas compris que les conseillers de Philippe le Bel le manipulaient à leur guise, comme ils manipulaient le triste pape et l'opinion publique ? Quelle perspective de réhabilitation lui laissèrent-ils perfidement entrevoir, pour qu'il consentît à renouveler ses faux aveux devant l'université de Paris trop heureuse, selon le génie qui lui était propre, de se repaître de la déchéance du maître des orgueilleux manteaux blancs, le 25 octobre 1307 ? Et pour qu'il envoyât, dans les jours suivants, une lettre aux templiers prisonniers, afin de les inciter à avouer comme il l'avait fait lui-même ? On le constate, Philippe et ses légistes faisaient bonne mesure. Ils ne marchandaient pas les moyens pour perdre les templiers dans l'opinion, et, par là, contraindre le pape à avaliser l'opération !

Contre toute attente, Clément V protesta. A vrai dire, il ne prenait pas la défense des templiers, mais s'élevait contre l'usurpation de droits perpétrée par Philippe, et la précipitation qu'il avait montrée. C'était le 27 octobre. Le 22 novembre, il revenait sur sa position et ordonnait à tous les princes d'arrêter les templiers et de placer leurs biens sous séquestre. Parade plus habile qu'il n'y paraît, car elle soustrayait les prisonniers à la justice laïque pour les renvoyer devant la justice ecclésiastique. Parade dangereuse pour Philippe le Bel auquel échappait sa proie, sans qu'il pût réclamer contre elle : n'avait-il pas déclaré agir au nom du pape et de l'Eglise ? Le pape entérinait son initiative, mais reprenait le contrôle des opérations. Ce n'était que le début de cette sinistre partie d'échecs.

A regret, Philippe le Bel remit les templiers aux cardinaux désignés par Clément V : Bérenger Frédol et Etienne de Suisy. Or, dès qu'ils furent en présence des envoyés du pape, les dignitaires du Temple rétractèrent leurs aveux. Jacques de Molay osa même écrire aux frères de reprendre courage. Le pape, convaincu de la fausseté des aveux qu'on lui avait obligeamment communiqués et de la fourberie de Philippe le Bel, cassa les pouvoirs des inquisiteurs et décida de reprendre l'affaire à son point de départ.

Il importait extrêmement d'agir avec promptitude, car les templiers restaient pendant ce temps dans les geôles de Philippe et de ses agents, c'est-à-dire exposés à un traitement qui pouvait leur être fatal. Clément V choisit avec un peu trop de lenteur les membres des commissions qu'il avait résolu d'instituer. Comme il était à craindre, le roi le devança. Dissimulant sa colère, il ne protesta nullement contre la cassation des pouvoirs de juges qui lui étaient dévoués. Mais, fidèle à son génie, il chercha une autre voie pour parvenir à ses fins, voie insidieuse, déconcertante, toute nouvelle alors ! Puisque le pape contestait la validité des aveux arrachés aux templiers et qu'il paraissait résolu à leur permettre de se disculper, autrement dit à sauver l'ordre, il fallait que l'opinion tout entière se dressât derrière le roi pour exiger leur châtiment. Il commença par consulter les techniciens du droit, non pour avoir réellement leur opinion, mais pour flatter leur vanité et les ranger dans son parti. L'un d'eux répondit complaisamment que, seuls, les premiers aveux devaient être tenus pour véritables; que toute rétractation ultérieure n'aurait aucune valeur juridique. Les docteurs de l'université furent plus nuancés : à leur avis, le jugement des templiers appartenait au pape; il était imprudent d'y participer de façon trop active. Quant aux biens des prisonniers, les bons docteurs, ne perdant pas de vue les intérêts de l'Eglise, pensaient qu'ils devaient être employés à la défense de la Terre sainte, selon leur destination première.

Ces finasseries déçurent Philippe le Bel qui se moquait bien de la reconquête des Lieux saints, mais voyait dans la confiscation des biens du Temple à son profit un expédient pour renflouer les caisses de l'Etat. Il fit donc écrire par un de ses séides, Pierre Dubois, une supposée « remontrance du peuple de France ». Que disait donc le peuple par la plume de Dubois ? Il incitait le Roi Très Chrétien à châtier sans retard les templiers, en se passant du consentement du pape, leur complice. Il invoquait le précédent de Moïse, faisant massacrer vingt-deux mille adorateurs du veau d'or, contre l'avis d'Aaron, son frère, cependant grand prêtre. Ce dernier, en tant que prêtre, ne pouvait ordonner le massacre, mais Moïse le pouvait qui était laïc! N'appartenait-il pas ès qualités au roi très chrétien de combattre l'Antéchrist? « Est-ce que tous ces templiers n'étaient pas des homicides ou bien des partisans, des soutiens, des complices, des receleurs d'homicides, s'accordant, d'une manière condamnable, avec les apostats et les assassins? »

Un second libelle, encore plus virulent, attaquait directement la personne de Clément V, subtilement accusé d'avoir laissé de côté deux cents maîtres en théologie afin de promouvoir ses neveux au cardinalat[1] et de s'être laissé corrompre par l'argent afin de soustraire les riches templiers à la justice. « Les indécis, poursuivait l'aimable Dubois, sont les nerfs des testicules de Léviathan, c'est-à-dire les péchés, par quoi il est patent et prouvé qu'un seul péché est la cause et l'occasion de beaucoup de péchés. »

Ainsi « rappelé à ses devoirs » par le peuple de France, Philippe le Bel ne pouvait temporiser davantage. Mais, pour que chacun prît ses responsabilités, et pour impressionner le faible Clément, il convoqua les états généraux. Ceux-ci se réunirent à Tours, en mai 1308. L'habile conseiller du roi, Guillaume de Plaisians, prononça deux harangues qui ont été conservées : « Saint Père, voici que se présente l'affaire des templiers. Une clameur puissante s'élève vers Dieu et vers vous, qui êtes son lieutenant... » Les députés, ainsi mis en condition, votèrent comme un seul homme. Désor-

1. Clément V avait en effet promu cinq membres de sa famille au rang de cardinal...

mais, c'était au nom du peuple que Philippe le Bel parlait et agissait.

Clément V ne céda pas... du moins pas tout de suite. Le roi vint le voir à Poitiers. On tint des consistoires où Plaisians fit à nouveau merveille. On négocia. On transigea, comme à l'habitude. Des commissions pontificales, composées exclusivement d'ecclésiastiques nommés par le pape, mèneraient une enquête approfondie sur l'ordre du Temple en tant que tel. Simultanément, des commissions diocésaines jugeraient les personnes : non l'ordre mais ses membres. Chaque évêque les présiderait, assisté de dominicains et de franciscains, de chanoines et, éventuellement, d'inquisiteurs. L'administration des biens du Temple serait mixte : ecclésiastique et laïque.

En 1309, deux sortes d'interrogatoires furent donc menés simultanément et par des commissions différentes. Apparemment ce dispositif offrait de sérieuses garanties aux templiers. En fait, le comportement des commissions varia d'un diocèse à l'autre, trop d'évêques devant leur nomination au roi. L'évêque de Paris, par exemple, prit la peine de rédiger une instruction sur la manière de conduire l'interrogatoire qui ne laisse aucun doute sur la rigueur du traitement infligé aux malheureux captifs, mis au régime étroit, c'est-à-dire au pain et à l'eau, avec quelques rares aliments : « ... Item, si cela ne sert de rien, qu'on les menace de la torture, même grave, et qu'on leur en présente les instruments, mais qu'on ne les y soumette pas tout de suite; et, si la menace ne réussit pas, on pourra recourir sur les indices précédents à la question et à des *tortures, mais d'abord légères, ne devant recourir à d'autres que s'il y échet...* » En outre des pressions s'exerçaient venant de toutes parts, avec les effets que l'on devine sur des esprits affaiblis par le délabrement physique. Ainsi le prévôt de l'église de Troyes écrivait-il une amicale, et terrible, lettre au frère Laurent de Baune, ex-commandeur d'Apulie :

« Nous vous faisons savoir que le roi notre sire vous envoie à l'évêque d'Orléans pour vous réconcilier; aussi nous vous requérons et prions que vous vous teniez dévotement et grandement envers ledit évêque à la bonne confession que *nous vous laissâmes*. Qu'il n'ait cause de dire, par votre faute, que nous l'avons fait travailler et lui avons fait entendre mensonges... *Sachez que notre père le pape a mandé* que tous ceux qui auraient tenu lesdites confessions devant ses avoués et *qui ne voudraient pas y persévérer, seraient mis en damnation et détruits par le feu.* »

Les commissions pontificales elles-mêmes ne fonctionnaient pas librement. Jacques de Molay prenait enfin la défense de son ordre, lorsque Guillaume de Plaisians, « chevalier royal », entra dans la salle! Le pauvre Molay se troubla, perdit le fil de son discours, et sa superbe, finit par demander un délai de réflexion que l'on s'empressa de lui accorder. La semaine suivante, il se déclara incapable de défendre le Temple. Quelles promesses lui avait faites Plaisians? Quelles menaces avait-il proférées? Dans cette atmosphère passionnée, comment la vérité pouvait-elle prévaloir?

Il se trouva pourtant des hommes assez courageux — il y en a toujours! — pour braver à la fois les menaces des évêques et celles des agents du roi.

Le 27 novembre 1309, le frère Ponsard de Gizy, commandeur de Payns, déclara que les templiers n'osaient prendre la défense de l'ordre parce que trente-six d'entre eux, et davantage, étaient morts sous les tortures, seulement à Paris. Il donna la liste des premiers accusateurs, frères exclus du Temple pour leurs vilenies, dont Esquieu de Floyran, naguère prieur de Montfaucon. Il précisa que lui-même avait été jeté dans une fosse, les mains liées si fortement dans le dos que le sang coulait jusqu'à ses ongles. Il clama qu'il se sentait prêt à mourir par la décapitation, l'ébouillantement ou le feu, mais que, si on le torturait, il avouerait n'importe quoi, ainsi que l'avaient fait les frères.

Peu à peu, les templiers reprenaient courage. Ils organisaient leur défense. Ils s'enhardissaient. En mars 1310, ils étaient cinq cent quarante-six à rétracter les prétendus aveux et à proclamer l'innocence de l'ordre. Philippe le Bel ne pouvait tolérer pareil camouflet. Car, encore une fois, ce n'était pas la vérité sur l'innocence ou la culpabilité de l'ordre qui lui importait, mais la destruction de celui-ci. Le 11 mai, l'archevêque de Sens, Philippe de Marigny (frère d'Enguerrand), condamna comme relaps cinquante-quatre templiers qui avaient rétracté leurs aveux. Ils furent aussitôt brûlés vifs. Ce fut un nouveau coup de tonnerre pour les défenseurs de l'ordre. Le 13 mai, frère Aimery, de Villiers-le-Duc, comparut devant les commissaires, « pâle et terrifié ». Il déclara pourtant, « au péril de son âme — en appelant sur lui, s'il mentait, une mort subite et en acceptant d'être sur-le-champ plongé âme et corps dans l'enfer, en se cachant la poitrine avec les poings, en levant les mains vers l'autel pour une affirmation plus solennelle, en fléchissant les genoux —, que toutes les erreurs imputées à l'ordre étaient entièrement fausses... » Cet exemple ne fut pas suivi d'effets. Personne ne se présenta plus devant la commission qui, faute de témoins, dut clore son procès-verbal.

C'était désormais au concile de décider du sort du Temple. Il se réunit à Vienne, le 16 octobre 1311, examina les procès-verbaux d'enquête. A nouveau les templiers reprirent espoir. Quinze cents à deux mille d'entre eux avaient obtenu de leurs geôliers la permission de s'assembler à Lyon. Ils comptaient fermement défendre l'ordre et même le sauver. Clément V posa la question préalable de savoir si l'on accorderait des défenseurs à l'ordre. La réponse fut favorable. Elle amorçait tout simplement la réouverture du procès.

Philippe le Bel réunit les états généraux à Lyon, pour influencer le concile. Ses conseillers, notamment Plaisians et Nogaret, entamèrent de laborieuses négociations avec le pape. On transigea, ainsi qu'on l'avait toujours fait. En mars (1311), Clément V proposa un arrangement au concile : il était, selon lui, impossible de mener convenablement et fructueusement le procès; mais, d'un autre côté, le Temple ne pouvait continuer d'exister en raison du scandale qu'il avait causé; il fallait donc le supprimer, non pas en vertu d'un jugement, mais par provision. Le 3 avril, la suppression fut proclamée. Le 3 mai, ce fut la dévolution des biens aux hospitaliers, sauf en Espagne où d'autres ordres profiteraient de la dispersion des templiers. Ainsi, ç'avait été un pape qui les avait institués et enrichis pour le service de Dieu, et c'était un pape qui les réduisait à néant et les spoliait, pour complaire à un prince envieux et cupide.

Frustré dans ses espérances, Philippe le Bel se vengea comme il le put. Clément V s'étant réservé le jugement des dignitaires, ceux-ci furent condamnés à la prison perpétuelle par une commission de cardinaux. Comme on lisait publiquement leur sentence, deux d'entre eux protestèrent : Jacques de Molay et Geoffroi de Charnay. Le maître, retrouvant enfin son courage, clama que les hérésies et les crimes qu'on imputait à l'ordre étaient faux, que la règle du Temple était sainte, juste et catholique, mais qu'il méritait la mort et s'offrait à l'endurer avec patience, car la peur des tourments, les caresses du pape et du roi de France l'avaient en d'autres temps incité aux aveux... Stupeur de l'assistance, mais qui fut de courte durée. On ne défiait pas en vain Philippe le Bel. Comme les cardinaux remettaient les deux relaps aux mains du prévôt de Paris, peut-être dans le but de réviser leur cause, le roi fit transporter Molay et Charnay dans une petite île de Seine. Le soir même, en présence du peuple, ils furent brûlés vifs, avec trente-sept de leurs frères extraits en toute hâte de leurs geôles, eux aussi défenseurs de l'ordre, donc relaps. Une fois encore, le roi violait les droits de l'Eglise, mais en pure perte. La mort héroïque de Jacques de Molay retourna l'opinion en faveur des templiers. L'anonyme « du Vendredi 13 » écrivait :

> *Adoncques Dieu qui tout surmonte*
> *De leur haut état les trébuche,*
> *Si les brise comme une cruche,*
> *Ainsi des Tempiers a fait,*
> *Comme ils s'étaient trop méfaits,*
> *Si comme assez de gens le disent,*
> *Mais je ne sais s'ils médisent....*
> *Et maints au monde condamnés*
> *Sont au ciel là-haut couronnés.*

Le peuple, que l'on dit versatile et qui a souvent plus de clairvoyance et de générosité que les grands, n'était pas loin de considérer Molay et ses compagnons comme des victimes et des martyrs.

Pillage et dispersion

Car il était bien vrai que Philippe le Bel avait agencé toute l'affaire, en abusant de la faiblesse de caractère de Clément V, en recourant aux faux témoignages, aux menaces, aux caresses, à des tourments si rigoureux que des centaines de templiers moururent sous la main des bourreaux, et des centaines par maladie et faute de nourriture! Il avait employé contre eux toutes les armes dont il disposait : la calomnie, la propagande, l'approbation des états généraux, la corruption. Multiplié, avec un cynisme sans équivalence chez les Capétiens, la violence, les pressions, les irrégularités. Poussé par une cruauté proprement monstrueuse, il avait abreuvé de honte ces hommes qui appartenaient à un autre âge, ne savaient que se battre et prier. Il avait supprimé les témoignages favorables au Temple, terrorisé ses défenseurs par le bûcher de Sens et les meurtres froidement perpétrés dans les prisons : comme celui de Pierre de Bologne, porte-parole de l'ordre devant la commission pontificale. Que pouvaient faire les preux chevaliers de Notre-Dame Marie, confrontés avec cette puissance administrative, anonyme, inhumaine, incapable de sentiments quelconques, aveugle, ne sachant qu'obéir, seul héritage que Philippe le Bel sut léguer aux siècles futurs ? Le pape pouvait, devait, les protéger, les sauver; il était leur juge, leur seul souverain. Mais il eût fallu un homme de la trempe d'Innocent III, et non ce pusillanime plus soucieux de conserver sa charge et de doter ses neveux que de défendre les droits de l'Eglise. Face à Philippe le Bel, à Nogaret, à Plaisians son *alter ego*, ou à Marigny, le pauvre Clément V ne savait que ruser, gagner du temps. Désapprouvant l'action de Philippe le Bel, convaincu de l'innocence du Temple et de la perfidie de ceux qui voulaient sa destruction, il n'eut pas la fermeté nécessaire pour adopter une position et s'y tenir, au risque de perdre sa tiare, mais en mettant le roi dans une situation indéfendable. Il ne sut même pas faire preuve d'autorité envers ses cardinaux, ses évêques et ses inquisiteurs. Michelet voyait juste, quand il écrivait : « Ce qu'il y a de tragique ici, c'est que l'Eglise est tuée par l'Eglise. Boniface est moins frappé par le gantelet de Colonna que par l'adhésion des gallicans à l'appel de Philippe le Bel. Le Temple est poursuivi par les inquisiteurs, aboli par le pape... » Et, perspicace, il ajoute un peu plus loin : « Les légistes devaient haïr les templiers comme moines; les dominicains les détestaient comme gens d'armes, comme moines mondains qui réunissaient les profits de la sainteté et l'orgueil de la vie militaire. »

S'il subsiste quelque doute sur les intentions réelles de Philippe le Bel, il suffit d'examiner la manière dont se comportèrent ses agents après l'arrestation des templiers. La première instruction qui fut remise aux syndics nommés dans la commanderie, était de gérer avec soin les biens séquestrés, de veiller à ce que les champs fussent convenablement ensemencés, les fourrages et les récoltes engrangés dans les meilleures conditions, les vignes, taillées et vendangées. Les serviteurs des commanderies restaient sur place, pour assurer les travaux. A cette époque, Philippe le Bel entendait bien, avec la complicité de Clément V, s'approprier les riches domaines, au prix de quelques dédommagements. L'affaire évoluant en sens contraire, le roi avait changé ses dispositions. A tout hasard et pour ne pas tout perdre, il ordonna la liquidation rapide de tous les biens meubles des commanderies. C'est ainsi que, dès 1309, la templerie de Payns fut entièrement dépouillée de son contenu. Le syndic royal, Thomas de Savières, vendit non seulement les récoltes, mais les coupes de bois, les provisions, le bétail, les chevaux, le matériel agricole (charrues, charrettes, harnais, petit outillage), les instruments de cuisine, le mobilier, la literie et jusqu'aux ornements de la chapelle. Après avoir mis le personnel à l'eau et à la portion congrue, rogné odieusement sur son salaire, il le licencia, y compris la vieille sœur templière et sa servante. En Cotentin, pour prendre un autre exemple, le moulin templier de Varcanville fut dépouillé de sa grande roue, de ses meules, des tuiles de sa toiture! Partout, il en fut ainsi, souvent avec la complicité du voisinage qui y trouvait son compte, s'appropriant au meilleur prix du matériel bien entretenu, du bétail sélectionné, des meubles solides. Lorsque les biens du Temple furent remis aux hospitaliers, en vertu de la décision de Clément V et du concile de Vienne, les commanderies n'étaient plus que des coques vides, souvent en mauvais état. Pour remettre les terres abandonnées en exploitation, il fallait tout racheter, bétail et matériel. Il fallait aussi entamer de coûteux et difficiles procès pour recouvrer les terres spoliées. Car, après la suppression du Temple, les descendants des bienfaiteurs de l'ordre ne se privèrent pas de récupérer ce qu'ils purent des anciennes donations. Les agents du roi donnaient d'ailleurs l'exemple. Le procureur du roi à Rieux, Gérard Dufresne, fit occuper la bastide de Plagnes, fondée par les templiers. Les hospitaliers protestèrent vigoureusement. On leur objecta que les templiers avaient conclu un traité de paréage avec le roi, et l'on excipa d'un document établi pour la circonstance. Les hospitaliers durent plaider, longuement, pour démontrer qu'il s'agissait d'un faux, et rentrer en possession de la bastide.

Car Philippe le Bel n'avait accepté qu'à contrecœur la dévolution des biens du Temple à l'ordre de l'Hôpital. Le 24 août 1312, il avait écrit à Clément V : « ... Nous acceptons donc la disposition, l'ordonnance et le transfert susdits et nous y donnons notre consentement, sous réserve que tous les droits sur lesdits biens nous appartenant antérieurement, à nous, aux prélats, aux barons, aux nobles et autres personnes quelconques de notre royaume, soient saufs à toujours. »

Réserve lourde de menaces ! On prêtait au roi l'intention de renouveler l'opération de 1307 à l'encontre des hospitaliers. S'il conçut vraiment ce projet, il n'eut pas le temps de l'exécuter. L'année suivante, en novembre, il mourut des suites d'un accident de chasse, soudainement, bizarrement. Et le peuple, dans sa naïve soif de justice, ne manqua pas de voir en cette mort le châtiment du Ciel, et d'autant que Clément V, Nogaret, Marigny passèrent eux aussi de vie à trépas dans un bref laps de temps et dans des circonstances tragiques.

Que devinrent les ex-templiers, au terme de cette tragédie ? Beaucoup moururent dans les geôles, condamnés à l'emmurement perpétuel par des inquisiteurs obstinés dans l'erreur et passionnés contre l'ordre.

D'autres, « réconciliés » par l'Eglise, cherchèrent refuge chez les cisterciens ou en d'autres couvents qui leur étaient favorables. D'autres encore, rongés par un sombre désespoir, se firent chevaliers errants, attendant l'heure de repartir pour une hypothétique croisade. Certains rentrèrent dans leurs familles pour y finir leurs jours. Très peu consentirent à devenir hospitaliers par rancœur et fidélité au Temple. Je parle ici des templiers français, car leurs frères des autres langues reçurent un meilleur traitement. Ni en Allemagne, ni en Angleterre, ni en Espagne, encore moins au Portugal, on n'osa les suspecter. Les princes de ces pays ne furent nullement ébranlés par la lettre que leur avait adressée Philippe le Bel, pour les inciter à l'imiter. Il fallut l'injonction du pape pour qu'ils consentissent à les faire arrêter ou, plus exactement, garder à vue dans leurs commanderies. Les templiers d'Aragon s'enfermèrent dans leurs forteresses (Miravet, Montço, Castellot), prêts à se défendre les armes à la main, n'acceptant même pas de se tenir à la disposition du roi. Partout leurs mœurs étaient considérées comme irréprochables. Partout, les templiers furent reconnus innocents et absous, sauf dans le royaume de Philippe le Bel. Puisque, malgré cette évidence, le pape avait cru devoir dissoudre le Temple, les princes de bonne foi trouvèrent divers moyens pour tourner cette iniquité. Le roi d'Angleterre pensionna les templiers et leur permit de rester dans leurs anciennes commanderies. Les templiers espagnols s'agrégèrent simplement aux ordres militaires de Montesa et de Calatrava. Quant au roi Denis de Portugal, il les maintint intégralement dans leurs structures et leurs possessions et leur rendit simplement l'ancienne et belle appellation de « Chevaliers du Christ ». Il est vrai qu'il existait, et qu'il avait toujours existé, des liens étroits entre les templiers du Portugal et les rois de ce petit royaume; qu'ils n'avaient pas cessé de mener conjointement la lutte contre les Sarrasins et que le maître de cette province templière jurait même obéissance au souverain[1]. Cependant le Temple avait cessé d'être en tant que tel. Né en France, création toute française dans son efficacité et sa mesure, c'était en France que, par un injuste retour des choses, il trouvait sa fin.

1. Voir en Annexe la formule de ce serment; ce document est peu connu.

ANNEXES

SERMENT DES MAÎTRES
DE LA PROVINCE DE PORTUGAL
(XIIe et XIIIe siècles)

Je..., chevalier de l'ordre du Temple et nouvellement élu Maître des chevaliers qui sont en Portugal, promets à Jésus-Christ, mon seigneur et à son vicaire... le Souverain Pontife, et à ses successeurs, obéissance et fidélité perpétuelles; et je jure que je ne défendrai pas seulement de parole, mais encore par la force des armes et de la vie, les Mystères de la Foi, le Symbole de la Foi et celui de saint Athanase, les Livres, tant l'Ancien que le Nouveau Testament, avec les commentaires des saints Pères qui ont été reçus par l'Eglise, l'Unité de Dieu et la pluralité des personnes de la Sainte Trinité : que Marie, fille de Joachim et d'Anne, de la tribu de Juda et de la race de David, est toujours demeurée Vierge, avant l'enfantement, pendant l'enfantement et après l'enfantement.

Je promets d'être soumis et obéissant au Maître général de l'Ordre, selon les statuts qui nous ont été prescrits par notre père saint Bernard.

Que, toutes les fois qu'il sera besoin, je passerai les mers pour aller combattre; que je donnerai secours contre les rois et les princes infidèles; que je ne serai jamais sans armes et cheval; *qu'en présence de trois ennemis je ne fuirai point* et leur tiendrai tête, s'ils sont aussi infidèles; que je ne vendrai point les biens de l'Ordre, ni ne consentirai qu'ils soient vendus ou aliénés; que je garderai perpétuellement la chasteté.

Que je serai fidèle au roi de Portugal; que je ne livrerai point aux ennemis les villes et les places appartenant à l'Ordre, et que je ne refuserai point aux personnes religieuses, principalement aux religieux de Cîteaux et à leurs abbés, comme étant nos frères et compagnons, aucun secours, soit par paroles, soit par bonnes œuvres et même par les armes.

En foi de quoi, de ma propre volonté, je jure que j'observerai toutes ces choses. Dieu me soit en aide, et ses saints Evangiles.

LES DÉFENSEURS DU TEMPLE

Ce qu'il y a de poignant dans le procès des templiers, ce qui nous touche le plus, nous autres hommes du XXe siècle, à travers l'expérience de la dernière guerre, c'est que partout où les templiers furent interrogés objectivement et purent s'exprimer à cœur ouvert, non sous la contrainte morale ou devant les instruments de supplice, ils clamèrent, avec quelle force, l'innocence de l'ordre, l'authenticité de sa foi, la rigueur de sa discipline, la grandeur de ses sacrifices. En atteste — et ce n'est qu'un exemple — le procès-verbal de l'interrogatoire subi par les templiers gardés à vue au Mas-Deu (Mas-Dieu), dans le diocèse d'Elne, en Roussillon; ce document est daté de 1310.

Sur l'hérésie du Temple (reniement et crachats), réponses du frère Raymond Guardia, commandeur du Mas-Deu :

Question. — Quoique l'Ordre du Temple prétende avoir été saintement institué et approuvé par le Siège Apostolique, cependant chaque membre, lors de sa réception, ou peu après et aussitôt qu'il peut en trouver le moyen, renie le Christ, quelquefois le crucifix, Jésus, Dieu, la Sainte Vierge ou tous les saints et saintes de Dieu, selon les instructions et injonctions de ceux qui l'ont reçu.

Réponse. – Tous ces crimes sont et me semblent horribles, extraordinairement affreux et diaboliques.

Question. – Ne disent-ils pas que le Christ est un faux prophète ?

Réponse. – Je ne crois pas pouvoir être sauvé, si ce n'est pas Notre-Seigneur Jésus-Christ qui est le Vrai Salut de tous les fidèles, qui a souffert la passion pour la rédemption du genre humain et pour nos péchés, et non pas pour les siens, car il n'a jamais péché et sa bouche n'a jamais menti.

Question. – Ne font-ils pas cracher sur la croix et ne la foulent-ils pas aux pieds ?

Réponse. – Jamais ! C'est pour honorer et glorifier la très Sainte croix du Christ et la passion que le Christ a daigné en souffrir en son très glorieux corps pour moi et pour tous les fidèles chrétiens, que je porte, ainsi que les autres frères chevaliers de mon Ordre, un manteau blanc sur lequel est cousue et attachée la vénérable figure d'une croix rouge, en mémoire du sang à jamais sacré que Jésus-Christ a répandu pour ses fidèles et pour nous sur le bois de la croix qui vivifie. J'ajoute que, tous les ans, le jour du Vendredi saint, les Templiers viennent sans armes, la tête et les pieds nus, pour adorer la croix, à genoux devant elle. C'est ce que font aussi, chaque année, tous les frères de l'Ordre, aux deux fêtes de la Sainte-Croix de mai et de septembre, en disant : « Nous t'adorons, Christ, et te bénissons, toi qui par la Sainte-Croix a racheté le monde. » Seulement, dans ces deux fêtes de la Sainte-Croix, ils ne viennent pas l'adorer les pieds nus.

Tous font la même réponse, ressentent, expriment, au seul nom de croix, la même émotion. Réponse du frère Bérenger dez Coll :

— C'est en l'honneur de la croix de Jésus crucifié que les frères de notre Ordre adorent la croix en toute solennité et révérence, trois fois l'année : le Vendredi saint et les jours des fêtes de la Croix en mai et en septembre. Lorsque les Templiers adorent la croix, le Vendredi saint, ils déposent leurs chaussures, leur glaive, les coiffes de lin et tout ce qu'ils portent sur la tête. C'est aussi par respect pour le Seigneur Jésus crucifié que tous les frères du Temple portent la croix sur leur manteau; et parce que le même Jésus-Christ a répandu son propre sang pour nous, nous portons une croix d'étoffe rouge sur nos vêtements pour répandre notre sang contre les ennemis du Christ, les Sarrasins des pays d'outre-mer et ailleurs contre les ennemis de la foi chrétienne.

Le frère Jean de Coma ajoute une preuve supplémentaire, et convaincante, du respect que les templiers observent pour la croix. Ils honorent tant la croix de leur manteau que, par révérence envers elle, ils enlèvent celui-ci quand ils ont à satisfaire quelque besoin :

— *Inter honores quos faciunt ipsi cruci, deponunt mantellum ubi est crux, quando vadunt ad nature superflua onera deponenda.*

Sur le reproche de *sodomie* qui provoque son indignation, réponse de Raymond de Guardia :

— Selon les statuts de l'Ordre, celui de nos frères qui commettrait un péché contre nature, devrait perdre l'habit de notre Ordre; les fers aux pieds, la chaîne au cou et les menottes aux mains, il serait jeté à perpétuité dans une prison, pour y être nourri du pain de la tristesse et abreuvé de l'eau de la tribulation le reste de sa vie.

Sur les *cordelettes-ceintures* et les idoles, réponse du frère Barthélemy de la Tour, chapelain templier :

Question. — Ne font-ils pas toucher ou envelopper une de ces têtes d'idoles de petites cordelettes dont ils se ceignent ensuite entre la chemise et le corps ?

Réponse. — Non, seulement les frères portent des ceintures ou cordes en fils de lin sur la chemise.

Question. — Pour quelle raison portent-ils cette ceinture ?

Réponse. — Je crois qu'ils la portent et, quant à moi, j'affirme que je porte cette ceinture, parce qu'il est écrit dans l'Evangile de Luc : *sint lumbi vestri precinti*, etc. J'ajoute que j'ai porté et que je porte cette ceinture depuis l'époque de ma réception; elle est d'observance dans l'Ordre et chacun de mes frères doit la porter le jour et la nuit, mais elles ne touchent aucune desdites idoles.

Sur la *confession*, réponse du même frère Barthélemy de la Tour :

Question. — N'est-il pas défendu de se confesser à d'autres qu'à des frères de l'Ordre ?

Réponse. — Voilà ce que j'ai observé à cet égard. Lorsqu'il y a des frères qui veulent confesser leurs péchés, on leur enjoint de les confesser au frère chapelain de l'Ordre qu'ils trouveront le plus à propos; s'il n'y en a pas de présents, on leur donne libre faculté de s'adresser à des Frères Mineurs ou

Prêcheurs, ou, à défaut de ceux-ci, à un prêtre séculier du diocèse. Enfin, il est enjoint à ceux qui entrent dans l'Ordre du Temple d'observer les bonnes coutumes de l'Ordre, présentes et futures, de garder les bonnes mœurs et d'éviter les mauvaises.

Et pour prouver ses dires, frère Barthélemy fit apporter *Le Livre de la Règle*, que l'on gardait au Mas-Deu, argument péremptoire.

L'un des juges, habilement, fit état des dénonciations formulées contre le Temple, des aveux consentis par de nombreux frères, en particulier par les dignitaires de l'ordre et, surtout, par Jacques de Molay, le maître. Réponse du jeune frère Pierre Bleda (reçu en 1298) :

— Il en a menti par sa gueule et en toute fausseté !

Le *miracle du Vendredi saint*.

Les frères du Mas-Deu firent valoir les immenses sacrifices en hommes et en argent de leur ordre. Ils dirent que vingt mille templiers étaient morts les armes à la main. Que l'on nourrissait un pauvre pendant quarante jours quand mourait chaque frère, et que l'on récitait cent *pater noster* dans la semaine qui suivait son trépas. Ils dirent encore qu'en dépit des dépenses de guerre, chaque maison du Temple offrait l'hospitalité trois fois par semaine à tous les pauvres voulant y venir. Sur l'ardeur de la foi templière, ils citèrent le cas des chevaliers de Safet capturés par le sultan après la chute de cette forteresse : ils étaient quatre-vingts; le sultan leur offrit la vie sauve s'ils reniaient leur foi; tous refusèrent et les quatre-vingts furent décapités.

Certains des frères, outrés des accusations portées contre l'ordre, rappelèrent le miracle de la Sainte-Epine conservée dans un reliquaire de l'ordre et qui refleurissait le Vendredi saint.

Item, proposent que la spina de la corona que fu de Nostre Senior, in cele meisme guisse ne florisse au jor del Venres Sang entre les mans des frères capellans deu Temple, s'ils fossent tiels que om lor met dessus...

(Item, exposent que l'épine de la couronne qui fut celle de Notre-Seigneur, ne fleurirait pas de la sorte le jour du Vendredi saint, entre les mains des chapelains du Temple, s'ils (les templiers) fussent tels qu'on le leur reproche...)

Autrement dit : la Sainte-Epine refleurirait-elle pour des hérétiques, des adorateurs d'idoles et des sodomites ?

C'est à dessein qu'entre toutes les protestations d'innocence des Templiers, on a choisi celles des frères du Mas-Dieu. C'est pour répondre à la thèse selon laquelle l'hérésie cathare se fût infiltrée dans l'ordre sous l'influence des frères excommuniés que l'on y recevait. Explication facile, dérisoire même! Voilà, en réalité, quelles convictions, quelle piété, animaient les templiers du Mas-Dieu, en pleine région cathare!

SUR LE PROVERBE :
BOIRE COMME UN TEMPLIER

« Boire comme un templier » est devenu un proverbe. Il faut croire que la réalité était un peu différente dans les commanderies, car l'un des articles de la *Règle catalane* (qui est une version de la Règle générale de l'ordre) ajoute cette faute aux cas d'exclusion :

Si un frère est accoutumé de tant boire qu'il est ivrogne, et ne s'en veut pas corriger, on doit esgarder (châtier) sa faute. Le Maître peut lui dire en chapitre : « Beau frère, vous êtes ivrogne et ne voulez pas vous en corriger. Ecoutez-nous bien et choisissez de ces deux choses celle qui plaira : ou vous demandez congé de la maison et vous allez faire votre salut dans une autre religion (un autre couvent), ou vous cessez de boire pour toujours. » Si le frère choisit de quitter la maison, on lui donnera sa charte (de congé). S'il choisit de ne plus boire de vin, le maître, avec l'accord des frères, ne lui donnera pas congé. Mais, s'il en boit, il perdra la Maison.

BIBLIOGRAPHIE

ALART (B) : *Suppression de l'ordre du Temple en Roussillon,* Perpignan, 1867.

CARRIÈRE (Victor) : *Histoire et cartulaire des Templiers de Provins,* Paris, Librairie Champion, 1919.

CHASSAING (Augustin) : *Cartulaire des Templiers du Puy-en-Velay,* Paris, Librairie Champion, 1882.

COUSIN (Don Patrice) : *Les Débuts de l'ordre des Templiers et saint Bernard,* Dijon, Les Amis de saint Bernard, 1953.

CURZON (Henri de) : *La Règle du Temple,* publiée par la Société de l'Histoire de France, Paris, Librairie Renouard-Laurens, 1886.

CURZON (Henri de) : *La Maison du Temple de Paris,* Paris, Librairie Hachette, 1888.

DALLIEZ (Laurent) : *Les templiers dans la péninsule Ibérique,* article dans *Archéologia,* Paris, mars-avril 1969.

DALLIEZ (Laurent) : *La France des templiers,* Verviers (Belgique), 1974.

DARAS (Charles) : *Les commanderies des templiers dans la région charentaise,* article dans *Archéologia,* Paris, mars-avril 1969.

DELAVILLE LE ROUX (J.) : *La suppression des templiers,* Paris, *Revue des Questions historiques,* 1890.

DELAVILLE LE ROULX (J.) : *Un nouveau manuscrit de la*

247

règle du temple, Paris, *Bulletin de la Société de l'Histoire de France,* 1890.

DESCHAMPS (Paul); *Les châteaux des croisés en Terre sainte* (2 tomes et album), Paris, Librairie orientaliste P. Geuthner, 1939.

DESCHAMPS (Paul) : *Terre sainte romane,* Paris, Zodiaque (La Nuit des Temps), 1964.

DESCHAMPS (Paul) : *Au temps des croisades,* Paris, Hachette-Littérature, 1972.

G... (Ph) : *Mémoires historiques des templiers,* Paris, Librairie Buisson, An XIII (1805).

GÉRARD (Pierre) et MAGNOU (Elisabeth) : *Cartulaire des templiers de Douzens,* Paris, Bibliothèque nationale, 1965.

GROUSSET (René) : *Histoire des croisades* (3 tomes), Paris, Plon, 1934-1936.

GROUSSET (René) : *L'Épopée des croisades,* Paris, Plon, 1939.

GROUSSET (René) : *Les Croisades,* Paris, Presses Universitaires de France, 1960.

GUÉRY (Abbé C.) : *La Commanderie de Saint-Etienne de Renneville (Eure),* Evreux, Imprimerie de l'Eure, 1896.

GUÉRY (Abbé C.) : *La Commanderie de Bourgoult (Eure),* Evreux, Imprimerie de l'Eure, 1903.

LAMBERT (Élie) : *L'Architecture des templiers,* Paris, Editions Picard, 1955.

LÉONARD (E.-G) : *Introduction au cartulaire manuscrit du Temple constitué par le marquis d'Albon,* suivi d'un *Tableau des Maisons françaises du Temple et de leurs précepteurs,* Paris, Librairie Champion, 1930.

LEROY (Stéphan) : *Jacques de Molay et les templiers franc-comtois,* Gray, Imprimerie Roux, 1900.

LIZERAND (Georges) : *Le Dossier de l'affaire des templiers,* Paris, Librairie Champion, 1923.

LOISNE (Cte de) : *Cartulaire de la commanderie de Sommereux,* Paris, Librairie Champion, 1924.

MAGNOU (Elisabeth), voir GÉRARD.

MASSÉ (Henri) : *Conquête de la Syrie et de la Palestine par Saladin* (traduit de Imâd-ad-Dîn Al-Isfahânî, 1125-1201), Paris, Librairie P. Geuthner, 1972.

MELVILLE (Marion) : *La Vie des templiers*, Paris, Gallimard, 1951.

MELVILLE (Marion) : *Deux aspects de l'architecture des templiers*, article paru dans *Archéologia*, Paris, mars-avril 1969.

MICHELET (Jules) : *Histoire de France*, tome III, Paris, Hachette, 1837.

MORRISSON (Cécile) : *Les Croisades*, Paris, Presses Universitaires de France, 1973.

OLLIVIER (Albert) : *Les Templiers*, Paris, Editions du Seuil, 1958.

OURSEL (Raymond) : *Le Procès des templiers*, Paris, Club du Meilleur Livre, 1955.

OURSEL (Raymond) : *Les églises des templiers*, article dans *Archéologia*, Paris, mars-avril 1969.

PERNOUD (Régine) : *Les Croisades*, Paris, Hachette, 1959.

PERNOUD (Régine) : *Les Croisades*, Paris, Julliard, 1960.

PERNOUD (Régine) : *Les Templiers*, Paris, Presses Universitaires de France, 1974.

PETEL (Abbé Auguste) : *Comptes de régie de la commanderie de Payns (1307-1309)*, Troyes, Imprimerie Nouel, 1908.

PETEL (Abbé Auguste) : *Le Temple de Bonlieu et ses dépendances*, Troyes, Imprimerie Nouel, 1910.

PIQUET (Jules) : *Des banquiers au Moyen Age : les templiers*, Paris, Hachette, 1939.

REY (E.) : *Les Colonies franques de Syrie aux XIIe et XIIIe siècles*, Paris, Picard, 1883.

VAOURS (Guy de) : *Quelques observations sur la toute primitive observance des templiers* (Mélanges de saint Bernard), Dijon, Les Amis de saint Bernard, 1953.

Table

ANNEXES

DU MÊME AUTEUR

Romans :

LA CASTE, Prix du Renouveau français 1952
(Éditions R. Julliard et Club du Livre sélectionné).
PAVANE POUR UN ENFANT (Julliard).
LES ARMES À LA MAIN, Prix Eve-Delacroix 1956 (Julliard).
LE BÛCHER (Julliard et Club des Éditeurs).
DEUX CENTS CHEVAUX DORÉS, Grand Prix littéraire des Libraires
de France 1959 (Julliard et Club international du Livre).
L'ENTERREMENT DU COMTE D'ORGAZ
(Julliard et Cercle du Livre de France).
LES TENTATIONS (Julliard).
REQUIEM POUR GILLES DE RAIS (Julliard et Club des Éditeurs).
LES QUATRE CAVALIERS, ouvrage couronné
par l'Académie française (Julliard et Club des Éditeurs).
CHIEN DE FEU, Prix Bretagne 1963
(Julliard, Club du Livre sélectionné, Cercle du Nouveau Livre,
Éditions G.P., Éditions « J'ai Lu »).
LES ATLANTES (Éditions R. Laffont et Livre de Poche).
LES LANCES DE JÉRUSALEM, Prix de l'Académie
de Bretagne 1967 (Laffont).
LA TOCCATA (Laffont).
GUILLAUME LE CONQUÉRANT (Laffont).
LE CHEVALIER DU LANDREAU (Laffont).

Études historiques :

VERCINGÉTORIX (Club des Libraires de France et Presses de la Cité).
LES TEMPLIERS (Fayard et Club du Livre sélectionné).
LA GUERRE DE VENDÉE (Julliard et Cercle du Bibliophile).
LES ROIS FOUS DE BAVIÈRE (Laffont).
LE ROMAN DU MONT SAINT-MICHEL (Laffont).
PRESTIGES DE LA VENDÉE (Éditions France-Empire).
MANDRIN (Hachette Littérature).
LA GUERRE DE SIX CENTS ANS (Laffont).
RICHELIEU (Hachette-Réalités. En collaboration).
HISTOIRE DU POITOU (Hachette Littérature).
LE NAUFRAGÉ DE « LA MÉDUSE », Bourse Goncourt
du récit historique 1974 (Laffont).
LES MARINS DE L'AN II, ouvrage couronné
par l'Académie française et Prix de la Cité (Laffont).
LA VIE QUOTIDIENNE EN VENDÉE PENDANT LA RÉVOLUTION
(Hachette Littérature).
GRANDS MYSTÈRES ET DRAMES DE LA MER (Pygmalion).

Essais :

MONTHERLANT (Éditions Universitaires, 1954).
MOLIÈRE GÉNIAL ET FAMILIER, Prix Dagneau 1967 (Laffont, 1967).

« Composition réalisée en ordinateur par IOTA »

IMPRIMÉ EN FRANCE PAR BRODARD ET TAUPIN
7, bd Romain-Rolland - Montrouge - Usine de La Flèche.
LIBRAIRIE GÉNÉRALE FRANÇAISE - 14, rue de l'Ancienne-Comédie - Paris.
ISBN : 2 - 253 - 03290 - 5